U0941432

**图书在版编目(CIP)数据**

100例水灾害/颜素珍主编. —南京：河海大学出版社，2009.3
(水文化教育丛书/郑大俊，鞠平总主编)
ISBN 978-7-5630-2543-5

Ⅰ. 1… Ⅱ. 颜… Ⅲ. 水灾—案例—世界
Ⅳ. P426.616

中国版本图书馆CIP数据核字(2009)第042847号

| | |
|---|---|
| **书　　名** | 100例水灾害 |
| **书　　号** | ISBN 978-7-5630-2543-5/P·16 |
| **责任编辑** | 朱婵玲 |
| **特约编辑** | 吴毅文 |
| **责任校对** | 赵德水　刘书含 |
| **装帧设计** | 南京千秋企划广告有限公司 |
| **出版发行** | 河海大学出版社 |
| **经　　销** | 江苏省新华发行集团有限公司 |
| **地　　址** | 南京市西康路1号(邮编:210098) |
| **电　　话** | (025)83737852(行政部) |
| | (025)83722833(发行部) |
| | (025)83786934(编辑部) |
| **排　　版** | 南京理工大学印刷厂 |
| **印　　刷** | 南京工大印务有限公司 |
| **开　　本** | 750毫米×1020毫米　1/16 |
| **印　　张** | 14.75 |
| **字　　数** | 250千字 |
| **版　　次** | 2009年7月第1版 |
| **印　　次** | 2009年7月第1次印刷 |
| **定　　价** | 680.00元/套(共10册) |

总策划

张长宽

总主审

林萍华

总主编

郑大俊　鞠　平

副总主编

吴胜兴　王如高　李乃富

# 水灾害100例

主编　颜素珍
副主编　唐德善　汤鸣鸿

# 弘扬先进水文化，促进水利事业又好又快发展

## ——《水文化教育丛书》序言

文化是民族的血脉和灵魂，是国家发展、民族振兴的重要支撑。一个民族的文化，凝聚着这个民族对世界和生命的历史认知和现实感受，积淀着这个民族最深层的精神追求和行为准则。党的十七大把文化建设摆在更加突出的位置，对兴起社会主义文化建设新高潮、推动社会主义文化大发展大繁荣作出了全面部署。先进水文化是中华优秀文化的重要组成部分。弘扬和建设先进水文化，为水利事业又好又快发展提供文化支撑，是摆在我们面前的一个重大而紧迫的课题。

我国是一个拥有悠久治水历史的国家，在中华民族五千年文明史中，我们的祖先创造了光辉灿烂的水文化。这些文化，有的以物质形态存在，如都江堰、大运河、坎儿井等举世闻名的水利工程，以及水利工程技术、治水器械工具等物质产品；有的以制度形态存在，如以水为载体的风俗习惯、宗教仪式、社会关系和社会组织、法律法规；有的以精神形态存在，如对水的认识、有关水的价值观念、与水相关的文化心理和文化特征等。这些璀璨的水文化，已经深深熔铸在中华民族的血脉之中，成为民族生存发展和国家繁荣振兴取之不尽、用之不竭的力量源泉。

新中国成立之后，党和国家领导人民进行了规模空前的水利建设，取得了辉煌的成就。特别是1998年特大洪水以后，水利部党组认真贯彻落实科学发展观，按照全面建设小康社会和构建社会主义和谐社会的要求，根据中央水利工作方针，认真总结经验教训，尊重基层和群众的实践创造，与时俱进地提出了可持续发展的治水思路，进行了一系列卓有成效的探索，开启了水利实践的新征程，为水文化建设注入了新的时代内涵。人与自然和谐的治水理念、以人为本的治水宗旨，扬弃了我国传统的治水文化观念，体现了科学发展观的要求；一大批水利水电工程的建设，有力地保障了经济社会发展，激发了民族自豪感，为当代和后人积累了宝贵的物质和精神财富；水利科技创新的突破，水利信息化的推进，显著提升了我国水利的科技含量和现代化水平，武装和改造了传统水利；节水防污型社会建设的深入开展，依法治水的不断推进，促进了传统治水方式和水管理制度的深刻变革；"献身、负责、求实"的水利行业精神，"万众一心、众志成城，不怕困难、顽强拼搏，坚韧不拔、敢于胜利"的伟大抗洪精神，体现了民族精神的精华，丰富了时代精神和社会主义核心价值体系的内涵。这是水文化传统与新时期水利实践相结合的丰硕成果，必将永远激励着我们不断奋斗前进。

当前和今后一个时期，是全面建设小康社会的关键时期，也是传统水利向现代水利转变的关键时期。我们要把科学发展观的根本要求与可持续发展的治水思路的探索实践结合起来，把全面建设小康社会的宏伟蓝图与水利发展的长远目标结合起来，把人民群众过上更好生活的新期待与水利工作的着力点结合起来，进一步增强水利对经济社会发展和改善民生的保障能力，不断创造无愧于时代要求的先进水文化，推动社会主义文化大发展大繁荣。要深入挖掘和弘扬传统水文化的丰富内涵，努力在继承优秀水文化传统的基础上铸造先进水文化；要善于从当今时代波澜壮阔的水利实践中汲取新鲜养分，努力展现先进水文化鲜明的时代特征和强烈的时代气息，更好地适应水利发展与改革的需要；要把培育和弘扬水利行业精神作为建设先进水文化的重要任务，努力把先进水文化更好地融入社会主义核心价值体系之中，激发广大水利干部职工投身水利实践的热情和干劲。

弘扬和建设先进水文化，要坚持研究与教育相结合、普及与提高相结合、继承与创新相结合，向全行业、全社会展示水文化研究成果，普及水文化基本知识，开展水文化宣传教育，不断推动水文化建设在服务水利发展与改革中取得新的实效。我们很高兴地看到，河海大学充分发挥学科优势和学术实力，组织了一批专家、学者，从水利名人、江河湖泊、咏水诗文、城市与水、水工程、水灾害、水用具、水景观、水传说、水歌曲等诸多方面，精心梳理、深入挖掘、全面概括千百年来人类水文化的积淀，编写了《水文化教育丛书》。这套丛书系统地介绍了优秀的传统水文化，宣传了可持续发展的治水思路，展示了水利发展与改革成就，彰显了水利精神，是水利宣传的良好平台、文化传播的优秀载体。希望以《水文化教育丛书》的出版为契机，把水文化的研究和建设推向一个新的阶段，拓宽水利视野，更新治水理念，弘扬水利精神，推进传统水利向现代水利转变。同时也希望通过广泛而深入的水文化教育，呼唤全社会进一步关注水、珍惜水、爱护水，关心水利、支持水利、参与水利，共同谱写水利发展与改革的新篇章。

陈雷

二〇〇八年三月廿八日

# 前 言

水是生命之源，水是万物之灵，水是世界的主宰，地球70.8%的面积被水覆盖，人体的70%由水组成，水是善利万物而不争的孺子牛！但是，水能载舟，亦能覆舟。水太多、水太少、水太脏都会给人类造成灾难。

司马迁在《史记》中感叹道："甚哉，水之为利害也。"并指出水具有利和害的双重性，在兴水利的同时，特别要防止水灾害。水对人类的生命财产和社会经济等造成的损害，称为水灾害。从古到今，水灾害一直与人类同行，除水害、兴水利，历来是治国安邦的大事。

为了让社会、尤其是青年学生认识水灾害的严重性，树立国民居安思危的灾害意识和减灾意识，促进水利事业的健康发展，河海大学编辑、出版了水文化系列丛书之一《100例水灾害》。本书从国内外大量水灾害资料中选择了100例有代表性的水灾害，选材时考虑了水灾害的历史性、代表性、典型性、科学性、可读性、震撼性和真实性，时间上跨越了855年(1153—2008年)，空间上包括了国内和国外(国外占1/4)。本书融会贯通了全球历史上和当代有关水灾害的最新研究成果，按水灾害发生的时间顺序，考虑不同地区的特点选择了100例大水灾。全书共分六辑：第一辑"大洪水"54场，描绘了大洪水是怎样无情地吞噬着人民的生命和财产，展现"水太多"给人类社会所造成的严重伤害，希望广大读者能了解到，从古至今，洪水对人类的威胁丝毫没有减弱，它仍然是对人类社会危害最大的自然灾害之一。第二辑"大干旱"26例，描绘了大干旱是怎样炙烤着骨瘦如柴的灾民和龟裂的土地，展现"水太少"给人类社会带来的严重后果：长时间的高温干旱，土地干裂，庄稼绝收，人与牲畜奄奄一息。希望能够使读者了解旱灾的成因与结果，更希望人们能够思考如何做到防旱抗旱。第三辑"大海啸"5例与第四辑"大风暴"8例，所收录的事例虽然不多，但都具有一定的典型性与代表性。这两种类型的灾害也是属于"水太多"所形成的灾害范畴，人们必须正视风暴与海啸所造成的巨大灾害，利用现代科学技术建立起风暴、海啸预警系统，能够在灾害到来之前把损失降到最低。前四辑收录的灾害成因主要是"天灾"。

第五辑“大污染”所收录的6例灾害成因——“水太脏”则是“人祸”的因素，描绘了水污染是怎样无情地摧残人们的身心健康及美好的自然界，引起水恐慌。“水太脏”所带来的直接后果就是水无法饮用，而由于不慎饮用了受污染的水，导致人类身体出现疾病的事例更是屡见不鲜，这种伤害和痛苦是永远无法弥补的。第六辑“大冰雪”阐述了2008年中国南方罕见的冰雪灾害，罕见雨雪冰冻兆示水灾害呈现日益多元化极端化，应引起人们的高度警觉及关注。

本书在阐述水灾害发生的时间、地点、原因、灾情、救灾等基本史实的基础上，都尽可能配置了当时的灾情图和地理位置图，客观形象地记载水灾害的演变，引导读者深刻体会到“人水和谐”的重要性与人类所必须担负起的防灾减灾的重大责任。希望读者不但从文字阅读上获得信息，也可以从图形中体会水灾害所造成的巨大灾难，引起震撼，引发思考。

感谢编写过程中各位专家提出的宝贵意见，感谢在撰写本书中所参考的各种文献的作者。

参加本书编写工作的是河海大学的颜素珍、唐德善、汤鸣鸿、晏成明、周春飞、詹文芳、田元、王红、庄孜、于鑫、张荣、毕丽娟、郑如鑫。对于我们来说，编写这本书的过程，是学习的过程，也是提高的过程。大家从中也深刻体会到了“人水和谐”的重要性与人类所必须担负起的防灾减灾的重大责任。

希望本书能够为读者朋友们带来“记历史之事，资今世之用，提高防灾意识”的收获，能够为水利学科建设与水灾害防治的实践作出有益贡献，为有关部门领导、水利及防灾科技人员、高等院校师生、国内外关心及希望了解水灾害的各界人士参考应用。由于经验不足，疏漏之处，诚恳欢迎读者朋友们批评指正。

**编　者**

**2008年春**

# 目　录

## 壹 大洪水

## 贰 大旱灾

# 壹 大洪水

## 1. 1153 年长江流域有记载最早的特大洪灾

1153 年 7 月至 8 月间，位于四川省和重庆市境内的长江流域段发生了一场特大洪灾。7、8 月期间四川往往会出现闷热、干旱天气，因此这段时间是四川的枯水期。洪灾的发生与当年的气候反常有着直接的关联，即主要由枯水期的大量降雨而形成。

当年该流域段的洪水主要来自沱江、涪江以及嘉陵江中下游。根据洪水调查资料推算，1153 年 7 月 31 日万县洪水位为 149.46 m；宜昌站洪峰水位为 58.06 m，相应洪峰流量为 92 800 $m^3/s$，连续三天洪水总量为 232.7 亿 $m^3$。根据历史洪水记载以及科学考察分析，如此大洪水的重现期约为 210 年。

据重庆市博物馆《川江洪灾调查报告》，忠县县城下游约 2 到 3 km 的长江北岸有两处宋代洪水石刻。一处刻在忠县东北乡红星村旺家院子屋后的石壁上，刻记为“绍兴二十三年（即 1153 年）癸酉，六月二十六日，江水泛涨去，耳、史二道士吹篪书刻以记岁月云耳”；另一处则在同村的选溪沟的岩石上，刻记为“绍兴二十三年（即 1153 年）六月二十七日水此”。该题刻是迄今为止在长江上游地区发现的最早的洪水题记。

被洪水冲垮的农舍

根据目前掌握的历史调查资料，1153 年的这场洪灾是在长江流域调查发现的最早的一次特大洪灾，四川盆地是受灾最严重的地区。

此次洪灾中，涪江的三台、遂宁，沱江的金堂，嘉陵江的合川均受到不同程度的影响。涪江江水淹没了当时的潼川府(即现在的三台县县城)及其周围地区,城内民舍全浸水中。此次洪灾破坏了大量的房屋和农田,很多人在这次灾难中溺水死亡;而在遂宁,整个夏季都有强降雨,河流均发了大水,许多当地的庙宇被淹没和冲毁;沱江金堂县也被洪水冲毁房屋数千间;合川县处于涪江和嘉陵江干流的交汇处,大水冲毁了当地一座很有名气的古迹——监乐堂。

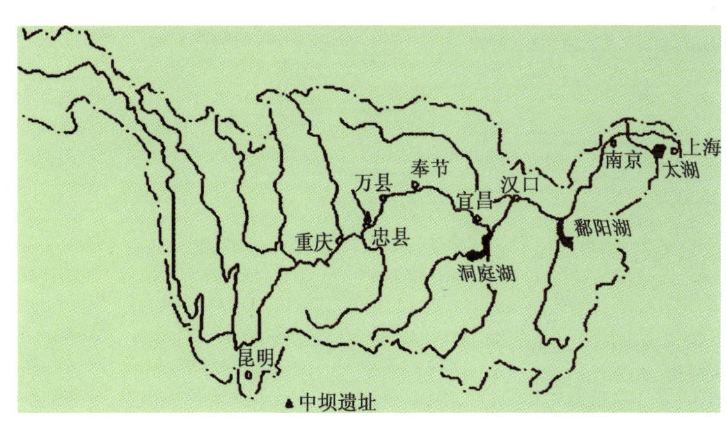

长江流域水系图

同年,长江中游的洞庭湖水系的沅江一带,下游的水阳江和太湖流域也发了大水,由此可见当年长江暴发了全流域性的大洪水。这场洪水的发现对于估计1870年特大洪水的稀缺程度具有重要作用。

此次洪灾是长江流域有记载的最早的特大洪灾,洪峰流量之大、涉及范围之广在历史上也较罕见。这次洪灾是在长江流域处于枯水期时发生的,有悖一般规律。当上游发生洪灾后,中下游地区也发了大水。由此启示我们在认识了事物发展的一般规律后,也要掌握其演变的特殊性。这将有助于我们更全面地认识客观事物,而且这次记载的洪灾对现代防汛工作具有重要的参考价值。

## 2. 1583 年汉江流域最大的洪灾

汉江又称汉水，古时曾叫沔水，与长江、黄河、淮河并称“江河淮汉”。1583 年 6 月，即明万历十一年四月，在汉江暴发了一场异乎寻常的特大洪水。在这场洪灾中，古城安康遭到毁灭性的破坏，被迫于第二年把城区迁往了原城南赵台山脚。

汉江雨季非常明显，每年的 4 月下旬到 5 月末，以及 7 月到 10 月上旬这段时间雨水丰富；而在 6 月份是径流的枯季——全年的最小径流量常常就在这个月内。然而在 1583 年，洪水发生时间正好在 6 月份，可见当时气候的异常很有可能是这次洪灾形成的罪魁祸首。

当年 6 月中旬，汉江发生了全流域的大暴雨，雨区主要集中在汉江的南岸，以及位于大巴山的牧马河、任河、岚河，以及在东边的堵河和南河，降雨中心在安康以上的任河、岚河流域。

现今安康下游，蜀河镇滨江山崖上洪水石刻记述：“万历十一年（即 1583 年）水至此高三尺，四月二十三日（即 6 月 12 日）起。”根据石刻印记上所描述的情况，在 1583 年 6 月 12 日，当时洪水的水位高度为 222.43 m。推算当年安康河段的洪峰流量大约为 36 000 $m^3/s$，其下游丹江口洪峰流量为 61 000 $m^3/s$，可见当时洪水之凶猛。

洪水冲垮堤防溢出来

当年的洪水来势很猛，从上游洋县到中游以下的沿江城镇均受到洪水严重的影响。据《陕西通志》载：“万历十一年癸未夏四月，兴安州（今安康）猛雨数日，汉江溺溢，……全城淹没一空，溺死者五千余人”；《石泉县志》亦载：“四月大雨汉水溢，居民溺死无算。”在这场洪涝灾害中，古城安康遭到毁灭性的破坏。当时的安康

城有两三万人口，而在这次洪水中溺水死亡的竟达到 5 000 多人，约占总人口数的 1/4。安康城池遭到灭顶之灾，整个城市荡然无存，不得不在第二年重建新城。在这场洪水中，自上而下千余千米沿江城镇均遭到严重的破坏，范围之广，灾情之重，在汉江历史上极为少见。根据文物、古迹的考证，安康河段的该场洪水为近 900 年来最大的一次。

**1583 年 6 月汉江调查洪水峰、量表**

| 站　名 | 集水面积（$km^2$） | 7 天洪量（亿 $m^3$） | 洪峰流量（$m^3/s$） | 重现期或稀遇程度 |
|---|---|---|---|---|
| 安　康 | 38 700 | 36 000 | | 近 900 年来最大 |
| 白　河 | 59 115 | 34 800 | | |
| 丹江口 | 95 217 | 61 000 | 171 | 400 年 |

在径流最小的枯季，却因天降暴雨而酿成了历史上最大的洪水，可见一些特大洪水往往是受异常的天气条件支配的，使人们防不胜防。这告诫我们在今后防汛工作中要从防大汛着眼，因为什么时候发生大洪水具有不可预测性。只有这样，才可能使大洪水的灾害降到最低程度。

# 3. 1593年淮河历史上最为惨重的洪涝灾害

1593年，淮河流域发生了一场自1470年有记载以来最为严重的大洪灾。

此次洪水主要是由降雨过于丰富引起的，当年5至9月降雨连绵不止，8、9月间又多次出现大暴雨，使得洪汝河、沙颍河以及淮南山区史河、淠河不断发生大洪水，酿成了历史上最为惨重的洪涝灾害。4月，淮南及洪汝河南部就已经进入雨季，直至8、9月，个别地区甚至一直持续到10月，连绵不断的降雨长达五六个月，而在此期间又多次出现集中的暴雨或大暴雨。暴雨区主要位于大别山、桐柏山和豫西山丘区，笼罩面积约11.8万$km^2$。大雨区包括淮河流域、山东半岛沿海以及长江流域的唐白河水系，范围约27万$km^2$。

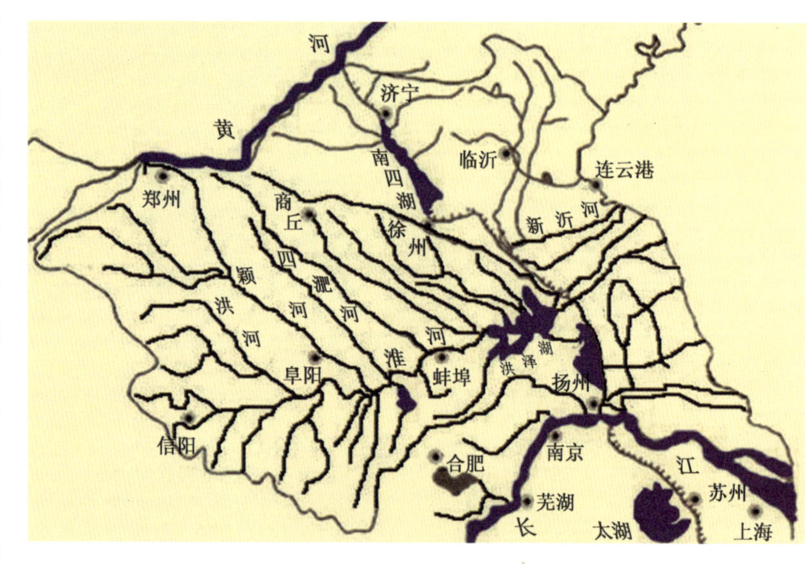

淮河流域示意图

当年4月份，淠河上游就开始发生了大洪水，而且接连不断。根据史料记载，在此期间洪汝河就暴发洪水13次之多，最大洪水出现在8、9月。史河流域的固始县8月23日夜突降大雨，瞬间积水猛增，并漫过山腰。沙颍河流域的安徽阜阳方圆百余里被来自西北方向的洪水顷刻之间淹没，有记载："陆地丈余，舟行树梢。"此次洪水延续了11

天才慢慢退去。地处豫东平原，东邻曹操故里安徽亳州市的涡河边上的鹿邑县从5月到9月雨水一直下个不停，小麦和水稻都颗粒无收。淮河边的凤阳也未逃过此次水灾，大水冲进城内，淹没了许多地区。大水把整个盱眙县城都吞没了，居民或迁移到了城中的高地，或被迫迁移去了盱山。

这次洪涝灾害范围包括淮河流域的洪汝河、沙颍河、涡河、包浍河、淮河干流、淮南地区、沂沭泗及相邻的唐白河水系和山东半岛地区。其中，淮北平原由于山洪、沥涝并至，灾情最重。淮河干流以北、京广线以东、废黄河以南广大平原地区沦为大片洪泛区，淹没范围达11.7万km²，汝阳、新蔡、陈州等县以东至铜山、睢宁等17个州县，普遍受灾，据文献统计受灾地区达120个州县。由于长时间的强降雨和积涝，这次洪涝灾害灾情惨重，田地尽淹、房屋坍毁，船只和竹筏成为了人们的出行工具，而由于小麦颗粒无收，百姓嗷嗷待哺，饥民始食鱼虾，继用树皮充饥，乃至最后开始吃人肉。在灾区，到处尸横遍野，俨然成了人间地狱。淮阳也类似这样，降雨持续了数月，庄稼没了收成，沙颍等河堤决口，洪水冲塌城墙，淹没了民房，伤亡灾民不计其数。在淮南市，淮河和汝河决口，民房几乎全被冲毁，人们只能暂时栖身在零星的树杈上。

这次在淮河发生的全流域性的大洪涝灾害，主要原因是雨期开始早而终止晚，连续降雨时间达半年之久，其间又发生多次特大暴雨，造成长时间的洪水和积涝。它给当地民众带来了巨大灾难，是迄今为止历史上最为惨重的洪涝灾害。

# 4. 1668年海河南系特大暴雨引起的洪灾

1668年8月,海河南系暴发了历史上罕见的特大洪水。此次洪水由一次特大暴雨形成,降雨范围很广,引起五大水系同时发生大洪灾,给流域下游平原造成严重洪涝灾害。

当年8月8—14日,流域内出现了连续7天的暴雨天气,暴雨的强度非常大,分布范围也很广。而7月下旬至8月上旬是海河流域大洪水出现机会最多的时期,可见这次洪水很具有代表性。暴雨中心有两个,一个位于燕山迎风山区的潮白蓟运河流域,另一个位于太行山南端滏阳河流域。而涉及的范围达燕山和北部平原地区的密云、昌平、通县、香河、文安以及太行山区的井陉、平山、获鹿、赞皇、元氏、临城、内邱等州县,暴雨袭击了整整7个昼夜,致使燕山、太行山区河流普遍暴发山洪,潮白河、永定河、大清河、子牙河及漳卫河五大水系同时暴发大洪水。

这次洪灾使海河及相邻流域共有140余州县受灾,使海河五大水系都发生漫溢和决口。在现今京广线以东,南运河以西的海河平原受洪水淹没的面积约为4.5～5万$km^2$。在密云,滂沱大雨持续了5个昼夜,山洪瞬间填满了河道,河水猛涨,洪水以迅雷不及掩耳之势,冲塌了城市北面的城墙;在通州,暴雨持续了7天的时间,位于县城东西面的两条河流都已决口,整个县城被洪水围困9天;在怀柔县,香河泛滥成灾,决口近100 m,县城周围都被水淹

堤岸决口

没，溺死者的尸体布满了整个水面。

子牙河的支流滹沱河、滏阳河、泜河洪水也非常大。大水冲入了位于浅山区的平山县，溺死者无数，就连在明永乐年间修建的一道经历 200 余年的防洪堤也被冲毁。洪水冲进了京广线西侧的赞皇、元氏、临城、井陉、武安等州县，造成了严重的人员伤亡。在京广线东侧的赵州、宁晋、隆尧、南和、永年等州县，洪水更大，人们只能用舟楫作为唯一的交通工具。在冀州，河流决堤，城中水深有 3 m 之多。

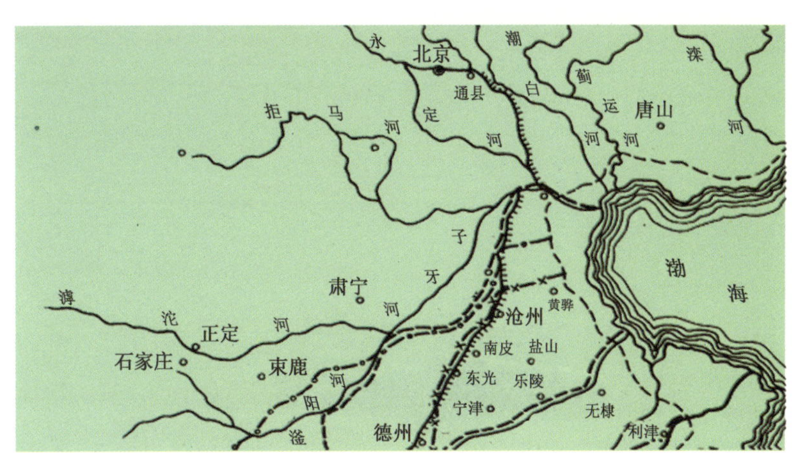

海滦流域水系略图

在这场严重的洪灾中，浑河在卢沟桥处决口，洪水直奔下游的雄县，淹没了大量的村庄和农田。清县和雄县被洪水淹没，在雄县的新城区淹死了 300 多人。当年有文献《客舍偶闻》这样记录："清康熙七年，浑河水决，直入正阳、崇文、宣武、齐化诸门。午门浸崩一角。五城以水灾，压死人数。上闻，北隅已死亡一百四十余人。宣武门水深五尺，冒出桥上，雷鸣峡泻！有卖蔬人，乱流过门下，人、担俱漂没。父老言，(明)万历戊申(1608)年，都门亦大水。未若今之尤甚！"

短短 7 天暴雨，就造成了如此严重的灾害，当时河堤的脆弱与城防建设的落后是造成严重后果的原因之一。在现代防汛工程中，城市防洪工程是城市的保护伞，在城市防洪工程中起到越来越重要的作用，为了城市和人民的安全，必须加强防汛工程的建设。

# 5. 1730年沂沭泗近500年一遇的大洪灾

洪水冲毁道路

公元1730年8月，淮河流域的沂沭泗水系因连续降雨并且其间夹带大暴雨，从而引发了一场特大洪水。

沂沭泗水系位于淮河流域的东北部，为发源于沂蒙山、流入淮河的支流。12世纪末到19世纪中，黄河改道，占夺徐州以下泗河和淮阴以下淮河河道。在这时期，由于黄河河床淤积抬高，淮、沂、沭、泗排水受阻，形成了洪泽湖、骆马湖和南四湖（南阳、独山、昭阳和微山湖），使淮河南流入江，沂沭泗河则另找出路，东流入海。经过1949年以来的整治，沂沭河上游来水有一部分向新沭河分流，其余经新沂河入海；泗河流入南四湖，经运河入骆马湖，并接纳沂河来水，由嶂山闸泄入新沂河。

在这场洪水发生之前两个月内，沂沭泗地区已经历了40余天的淫雨天气。到了8月上旬，各地又相继出现一次集中的大约3～7天大范围降雨过程，除了沂沭泗水系外，淮河流域的沙颖河、涡河，山东中部和北部地区，也出现大雨、暴雨。大暴雨以沂蒙山区为中心，今黄河与废黄河之间的三角地带，面积约为7万$km^2$。雨区位于开封、临漳、鸡泽一线以东，沙颖河、涡河、浍河以北，徒骇、马颊河以南，约16万$km^2$。

沂沭泗水系图

**1730年8月沂沭河调查洪水洪峰流量表**

| 水系 | 河名 | 河段名 | 集水面积（$km^2$） | 洪峰流量（$m^3/s$） | 重现期（年） |
|---|---|---|---|---|---|
| 沂河 | 沂河 | 沂水(赵家楼) | 2 278 | 17 500 | 200～500 |
| 沂河 | 沂河 | 临沂 | 10 315 | 30 000～33 000 | 200～500 |
| 沭河 | 沭河 | 大官庄 | 4 350 | 14 000～17 900 | 约200 |
| 沭河 | 沭河 | 陡山水库 | 431 | 4 790 | 约200 |
| 滨海诸小河 | 傅疃河 | 日照水库 | 544 | 3 910 | 约200 |
| 小清河 | 淄河 | 铁路桥 | 1 234 | 9 200 | 约200 |

8月上旬不期而遇的大雨，使得沂沭泗水系、汶河及山东北部弥河、潍河等均出现特大洪水。沂河沂水段集水面积为2 278 $km^2$，洪峰流量为17 500 $m^3/s$；淄河铁路桥河段集水面积为1 234 $km^2$，洪峰流量为9 200 $m^3/s$。当时沂河下游临沂河段集水面积为10 315 $km^2$，洪峰流量为30 000～33 000 $m^3/s$，沭河下游大官庄河段集水面积为4 350 $km^2$，洪峰流量为14 000～17 900 $m^3/s$，洪水量级很大，是自1470年以来最大的一次洪水，超过了1593、1703、1848、1957等年，其重现期沂河为200～500年一遇，沭河约为200年一遇。现今的武河（江风口的下方）就是沂河当年的这场大洪水改道而形成的。

这场洪涝灾害十分严重，山东、江苏、河南和河北省大部分地区受灾，约有100余州县遭到水灾，其中沂沭泗地区灾情最重。沭河上游的莒县，洪水蛮横40多km，淹没了县城和诸多民房，大约有五六千人被淹死。汶河上游的泰安，弥河上游的临朐，民房和农地都被大水冲毁，沂沭泗下游的骆马湖、大运河汪洋一片，形成大片洪泛区。滕县粮食奇缺，米价如珠，人们饥饿难忍，乃至出现人吃人的情况。山东北部的大小清河、弥河、潍河灾情也很严重。重灾区还涉及到淮北的颖河、涡河、浍河流域。

## 6. 1761 年黄河流域十天降雨引发特大洪灾

1761 年 8 月，黄河中下游发生了一场特大洪水。这次洪水主要由自 8 月 11 日至 20 日全过程约 10 天的降雨引起。据文献记载：8 月 16 至 20 日，伊、洛、沁河及干流区间均发生连续大暴雨。雨区范围较广，波及山西、陕西、河南等省，汾河、涑水河、洛河、沁河以及三花干流区间同时涨水，在花园口断面形成近 400 年来的最大洪水。这场洪水的特点是干支流洪水同时遭遇，峰高量大，持续时间长。洪水给沿线广大地区造成了严重的灾难。

黄河下游的大洪水的来源主要来自两个地区：一个是河口镇到三门峡黄河中游地区，一个是三门峡到花园口区间。这场洪水是黄河中下游有记载以来最大的一场洪水。

南北向带状分布的暴雨是三花间特大洪水的主要雨型。汾河暴雨区在中下游，山西省各县市大部分地区连降 10 天大雨，特别是后 5 天，雨水昼夜不停。涑水河旁的运城全城都遭到暴雨袭击。洛河暴雨区主要在中游，洛阳周围等县大雨如注。沁河流域雨区笼罩全河，暴雨区在中下游，阳城县上伏村补修官津桥碑上写着这样的碑文：“七月既望，霪雨连绵十余日，河水涨发，土崩石解。”三门峡至花园口干流区间，暴雨主要在垣曲与孟县之间，降雨大致从 8 月 11 日持续到 15 日，其中 12、13 日降雨较大，8 月 16—20 日又暴发连续性大暴雨，降雨时程分配前小后大，容易形成三花间的大洪水。这次雨区范围较广，除三花区间外，还包括汾河、漳卫河和洪汝河流域。由于伊洛河、沁河和干流区间洪水同时遭遇，在花园口断面形成近 400 年来的最大洪水，造成黄河下游的严重

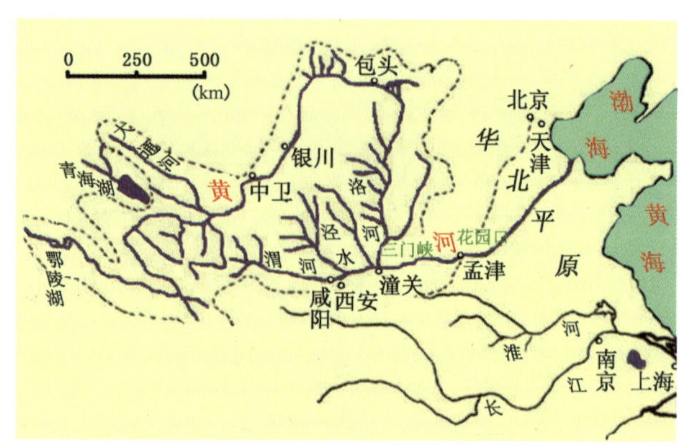

黄河流域水系略图

灾害。本次暴雨汾河、涑水河、洛河以及三花间同时发生大或特大洪水。

被洪水淹没的堤岸

洪水自农历七月十五日(8 月 14 日)起涨，于七月十六日稍有回落后又继续上涨，十九日(8 月 18 日)早晨涨至最高。根据历史水情记载，黑岗口处洪峰流量为 30 000 $m^3/s$，上推到花园口为 32 000 $m^3/s$，5 天的洪量为 85 亿 $m^3$，12 天洪量为 120 亿 $m^3$。

洛河流域内出现持续 4 天大暴雨，伊河上游嵩县发生洪水从江河中漫溢出来。洛阳重修的洛渡桥碑对该场洪水作了具体的描述：“七月十六，洛、涧水溢，南至望城岗，北至华藏寺，庙前水深丈余。”沁河流域的中游润城镇龙王庙洪水位碑刻记载“大清乾隆二十六年七月十八日辰时，大水发至此”，根据碑文，估计当时的洪峰流量约在 40 000 $m^3/s$ 以上，下游九女台的洪峰流量估计达 14 000 $m^3/s$。汾河流域的太原、文水、榆次、徐沟、汾阳、平遥、灵石、赵城等县山洪暴发，建在河流边的村庄被淹。尤其是在平遥县，汾水在 7 月下旬就已经决口，到了 8 月份位于该县东面的河流也决口了。

在这次大洪水中，黄、沁、丹、卫、漳、祀、洛等各条河流一起泛滥成灾，南北两岸总共决口 26 处，共 54 个州县受灾，大水淹没了河南的 10 个州县。该次洪水在中牟县决口，决口后，洪水在中牟县的杨桥夺溜后分为两股：一股从中牟县境内贾鲁河下朱仙镇，漫及尉氏县城东北，由扶沟、西华二县入周家口沙河；另一股从中牟县境内惠济河下祥符、陈留、杞县、睢州、鹿邑各县直达亳州，再淹曹县、城武等县。决口后，乾隆帝派大学士刘统勋，协办大学士兆惠等到工地督工堵口。11 月 1 日后大堤合龙成功，乾隆帝命人在杨桥工地建河神祠，并题诗树碑纪念。

# 7. 1788 年长江全流域的特大洪灾

1788 年，富庶的长江流域发生了一次全江性的大洪水。该年由于受到梅雨锋暴雨的影响，因而降雨面积广、强度大、持续时间长，干支流洪峰接踵而至，致使荆江大堤发生严重溃决，从而结束了民堤的历史。

这年 7 月中旬，四川西部地区发生持续性大暴雨，雨区主要位于岷江、沱江和涪江流域。四川也连日大雨，各处山水陡发，汇入川河，水势凶猛湍急，河水直泻而下。在川西发生大暴雨之前的 6 月，三峡区间和长江中下游就已经普降大雨。据文献记载："五月初六、初七等日，皖南祁门、休宁地区发生暴雨；湖南湘西大雨如注，彻夜达晓；湖北清江亦大雨如注，山洪陡发；湖北省城五月内连日大雨，势若倾盆。而时至六月，汉川大雨时行，荆州地方也连日大雨，水位已经和河堤平行，并溢出流入城中，城中水深一丈左右。"

丰都地区江水暴涨，冲进居民房屋；忠州暴涨的洪水冲入城区，淹没大量民房，致使不计其数的人畜死亡；合江、万县、云阳、奉节、巫山等县，河水泛滥，溢出的洪水淹没了两岸很多地区。该年长江洪水期长，自 5～7 月接连几次洪峰，长江干流寸滩站洪峰流量达 90 200 $m^3/s$，宜昌站最高水位 57.14 m，洪峰流量 86 000 $m^3/s$。

由于干支流洪峰接踵而至，这场洪水从 6 月初开始，一直到 8 月初才渐渐消退，前后持续了近两个月，使得川、云、黔、渝、鄂、湘、皖以及赣和苏等许多地区遭到不同程度的破坏和毁灭。据《清史稿·灾异志》载：乾隆五十三年"五月宜昌大水，冲击民舍数十间，常山、庆元、南昌、新建、进贤、九江、临榆大水；六月，荆州万城堤决，城内水深丈余，官署民居多倾圮，水经两日始退，漳河溢，枝江大水入城深丈余，漂没民居，罗田大水，城垣倾圮，人多溺死，江夏、汉阳、九卫、武昌、黄陂、襄阳、宜城、光化、应城、黄冈、蕲水、罗田、广济、黄梅、公安、石首、松滋、宜都大水；七月，江陵万城堤溃，潜江淹水甚重，汉阳大水。"在这期间，洞庭湖和鄱阳湖周围也是阴雨不断。江西省 5 月下旬及 6 月上旬雨水过多，6 月下旬末又连日梅雨不断，与之临近的湖北省也多次涨水，兼之川江汇入长江，长江水倒灌入鄱阳湖，致使湖泊水流无从排涝，低洼田地多被淹。在这场洪灾里，湖北省受灾最严重，36个县被淹没。又据《荆江万城堤志》记载："7月26日，万城到御路口河堤决口22处，大水冲塌了荆州的西门和水津门，官房和民房都不同程度地在洪水中倒塌，仓库里的粮食被冲走，泥涝有丈余深，两个月后才慢慢地消退，兵民死伤有10 000多人。"此次洪灾，湖北省西部地区长阳一带平地积水很深，荆州城水深6 m左右，城市内有1 700余人死亡，房屋倒塌40 000多间；武昌县城内的一所学校积水7 m左右，两个月后都还没有消退；安徽、江苏省沿江城市，低洼田地皆被淹没。

水灾中被淹的房屋

万城堤溃决后，乾隆即派大学士阿桂到湖北查办灾情，并发帑币200万两白银用来整修河堤、石矶以及救济灾民，修补仓谷。自此以后荆江大堤由民堤改为官堤，每年拨专款修葺。

1788年洪水是荆州城市建设史上的重要事件，对于后来的荆州城市防洪和城市布局有着很大影响。城墙在荆州城市防洪中起到极为重要的作用，并因此得以长期保存；排洪的需要促成了城濠水系的疏通与重新组织；堤防建设与城市格局产生了互动；城市规划管理体系也以此为契机发生了一定的变化。所有这些直接影响到后来的荆州城市形态。

# 8. 1801年海滦流域历史上罕见特大洪灾

1801年7月，海滦河流域发生历史上罕见特大洪水，五大水系均发生漫溢决口，而永定河发生了近500年来最大洪水。海河北部平原，海、滦河流域受灾达170个州县。

海河水系包括北运河、永定河、大清河、子牙河、南运河五大支流水系。受地形条件和天气系统的影响，南北系通常不会同时出现洪涝灾害，不过当年因为气候反常，南系、北系、滦河同时出现大暴雨。自7月上旬至8月中旬，海滦流域范围内持续长时间的淫雨天气。当时的平谷、昌平、定兴、新县、唐县、清宛、正定、平山、枣强等州县都下了40多天的大雨，最终形成了这场历史上罕见的大洪水。

这次暴雨的中心区位于永定河、大清河流域，北京地区6月、7月、8月的降雨量分别为75.3 mm、569.6 mm、262.7 mm，年降雨量达1 118 mm，比多年平均降水量600 mm大出近一倍。根据北京故宫“晴雨录”记载，从6月27日到9月4日70天中雨日达51天，其中7月5日到8月3日30天内雨日竟达29天。在长时间淫雨天气控制下，其间主要有三次集中的大暴雨：第一次是在7月11—17日，大雨区位于太行山燕山山区，滏阳河、滹沱河、大清河、永定河、潮白蓟运河以及滦河流域，大清河、永定河流域为暴雨中心区所在，强度很大，引发大清河山洪暴发；第二次是在7月23—31日，在此期间，海河五大水系及滦河流域分别出现大暴雨；第三次暴雨在8月中旬，肥乡、任县、蒿城、无极、新乐、阜平、昌平、北京等地连降大雨，雨区主要位于平原地区，降雨强度相对较小。

如此连绵降雨引发了海滦流域的洪水，尤其是永定河、大清河，永定河洪水一出山口，即在石景山发生漫溢，漫口近300 m，北京城西南部区域被淹严重。调查发现，7月13日卢沟桥水涨至7.78 m，冲塌堤岸4处，其中以桥北2.5 km处的决口对北京威胁最大，水漫卢沟桥面，冲毁桥上栏杆石狮子。大清河水系大小支流均发生大洪水，保定府至京城之间交通断绝。据调查洪峰流量达9 600 $m^3/s$，永定河官厅（集水面积43 402 $km^2$）洪峰流量达

洪水中的小村落

9 400 $m^3/s$，大清河支流拒马河千河口（集水面积 4 740 $km^2$）洪峰流量18 500 $m^3/s$。滹沱河流域同样发生大暴雨和大洪水，永定河上下洪水漫溢，支流冶河是滹沱河大洪水重要来源。罗庄洪峰流量为 10 000 $m^3/s$。滦河全线水溢成灾，此次特大洪水重现期永定河干流、官厅山峡和上游桑干河为近 500 年来的第 1、2 位洪水，大清河南北支流为 100～200 年一遇。

天津是海滦河流域进入大海的河口。7 月 24 日天津便风雨交作，潮汐把海水倒灌进了海河中，使得海河河道更加拥堵，以致泛滥成灾。在 28 日，天津又降了一场大雨，和着东南风，洪水把天津城围困起来。天津城的西门和南门积水严重，四郊水势滔天，有记载："天津水淹城砖二十六级，为建城以来最高洪水位。"8 月 3、4 日两昼夜过后，河水才慢慢地退去，流入大海。

1801 年海滦河流域有府、厅、州、县共 210 个左右，被淹的州县就达 170 个之多，占全部州县的 81%，其中绝产七成以上的有 92 个州县，绝产九成以上的有 62 个州县。6 月中旬，清政府拨款 11 万两白银对重灾区施行赈灾。随着灾情扩大加重，清政府又将两淮地区将要送往京城的白银 100 万两留在了直隶省，以用作往后的救灾银两，总计该年用于赈灾银两达 150 万两。此外清政府对受灾州县的田亩赋税多实行"全免"或"半免"，对受灾较重的宛平、昌平、顺义、望都、高阳、新河、宁晋、任邱等 43 个州县，将次年应征收的新旧地亩及各项税租等予以减免。当时直隶总督陈大文在灾区设粥厂 4 处，自 8 月 12 日起，50 天内每天领粥的约 3 000 余人次。

## 9. 1843年黄河中游近千年一遇的大洪灾

1843年8月6—8日，黄河中游发生一场大暴雨，此次暴雨使得陕县出现洪峰流量为36 000 $m^3/s$的特大洪水，潼关至小浪底河段出现了千年来的最高水位。

据文献记载以及现场考证结果，整个雨区呈西南—东北向带状分布，主要暴雨区位于黄河中游河口镇至龙门区间的两侧支流，特别是右岸支流，以及泾河支流马连河和北洛河上游地区。暴雨中心区则位于黄甫川、窟野河一带及泾河支流马连河、北洛河上游。这次洪水是由西南东北向切变线型暴雨造成的。

根据调查发现，“七月十三日报涨水七尺五寸，后续据陕州呈报，十四日辰时至十五日寅刻复涨水一丈三尺三寸，前水尚未见消，后水踵至”，可见这场大洪水为双峰过程，主峰段历时约5天左右。

在黄河干流潼关至小浪底沿河两岸，有20余处最高洪水位调查资料，发现黄河陕县集水面积为687 869 $km^2$，洪峰流量为36 000 $m^3/s$；马连河司嘴子集水面积为13 822 $km^2$，洪峰流量达12 600 $m^3/s$。这场洪水是自陕县明初1385年该河段最早有水灾记载以来的600余年间最大的一次。根据黄河干流沿河两岸古代遗物考证，在黄河三门峡至小浪底河段，这次洪水为千年以来的最大洪水。

该年洪水的显著特点是含沙浓度高。根据对洪水淤积物的颗粒组成和矿物成分物化分析确定，这场大洪水主要来自黄河中游粗泥沙来源区，即河口镇至龙门区间及发源于白于山区的诸河流。

这场洪水对潼关至小浪底河段的两岸居民造成的灾害十分惨重，人们对灾害记忆深刻，有许多民谣流传至今，如“道光二十三，黄河涨水上天，冲了太阳渡，捎走万锦滩”等。根据相关历史资料，在农历七月十四日这天，河水猛涨，位于潼关以下的阌乡、陕州、新安、渑池、郑州等处，洪水溢出河道，淹没了沿岸的民房、农田和庙宇。也就在这一天，平陆县葛赵村西面的河道

决口，淹没了方圆近 2.5 km 的区域，太阳渡地区的居民几乎有一半溺水而死亡，沿河的田地均被泥沙掩盖，沿河房屋毁坏无数。

**1843 年 8 月黄河调查洪水峰、量表**

| 河流 | 断面名称 | 集水面积（$km^2$） | 洪痕高程（大沽基面）（m） | 洪峰流量（$m^3/s$） | 重现期（年） |
|---|---|---|---|---|---|
| 黄河 | 陕县 | 687 869 | 306.5 | 36 000 | 119 |
| 黄河 | 史家滩 | | 302.5 | 36 000 | |
| 黄河 | 三门峡 | | 301 | 36 000 | |
| 黄河 | 垣曲 | | 209.5 | 33 800 | |
| 黄河 | 八里胡同 | 692 473 | 183.2 | 32 600 | |
| 黄河 | 小浪底 | 694 155 | 150.9 | 32 500 | |
| 马莲河 | 司嘴子 | 13 822 | | 12 600 | |

洪水下泄至中牟县，又将本已溃决的门复冲宽约 1 000 余米，大量洪水漫流出河道，并迅速地奔向下游的东南方，经贾鲁河入涡河、大沙河后，冲入淮河，最后流入洪泽湖。河南、安徽两省的洪水重灾地区为中牟、祥符、尉氏、通许、陈留、淮宁、扶沟、西华、太康、太和等 10 县，次重或轻灾区有杞县、鹿邑、沈邱、阜阳、颖上、凤台、霍邱、亳州等 8 县，另外洪水波及而未成灾的有郑州等 9 县，共计 27 个县，仅河南省各县被淹村庄就有 12 120 个。

本次洪水创造很多纪录。在黄河三门峡至小浪底河段和陕县河段发现多处高洪水位的痕迹。根据历史文物文献记载、洪水淤积物分析鉴定，1843 年这场大洪灾为近 1 000 年来最大的一次。

# 10. 1856 年吉林省中部区域性洪灾

1856 年 8 月，我国吉林省中部地区暴发了一场区域性的洪灾，而作为松花江主要支流的第二松花江处在这场洪灾的中心位置。除此之外，拉林河以及邻近的辽河流域的东辽河、清河辽河干流等也发生了特大洪水。

这场洪水主要发生在长白山向松嫩平原过渡的地带。该地区属低山丘陵区，人烟稀少，植被覆盖良好，有千山、岗山、哈达岭、大黑山等山脉。山脉呈西南东北走向，有利于暴雨的形成。1856 年引发这场洪水的暴雨是由台风和气旋雨组成，所引发的洪水量大，波及的范围比较广。东北地区最早雨量观测资料始于 1898 年，而 1856 年并没有实测降雨资料。历史文献中对当年降雨情节尚有部分记载，记载表明，当年沈阳的皇宫因为连日的阴雨，出现了部分坍塌并开始漏水。

调查发现：第二松花江干流的松花江站附近的七家子屯，有 200 多年的历史，祖辈传说咸丰六年（即 1856 年）的水最大；第二松花江上的丰满水库当年集水面积为 42 693 $km^2$，洪峰流量达到 15 300 $m^3/s$，约 100 年重现一次；拉林河上的薛家桥集水面积为 250 $km^2$，洪峰流量达到 625 $m^3/s$。在第二松花江中下游和拉林河的洪水为近百年最大的一次，在辽河支流东辽河，清河和干流铁岭水文站，该场洪水在历史洪水中排第 2～5 位。

当年的洪水灾害较为严重，在吉林、扶余、依兰、阿城等地，政府分别延缓了征收旗民的谷物和丁银；在开元县，松花江水漫溢，河水泛滥，温德亨河

**1856 年吉林中部调查洪水洪峰流量表**

| 水系 | 河名 | 地点 | 集水面积（$km^2$） | 洪峰流量（$m^3/s$） | 重现期或稀遇程度 |
|---|---|---|---|---|---|
| 第二松花江 | 第二松花江 | 丰满水库 | 42 693 | 15 300 | 100 年以上 |
| 拉林河 | 拉林河 | 薛家桥 | 250 | 625 | 1856 年以来最大 |
| 东辽河 | 东辽河 | 二龙山水库 | 3 796 | 2 650 | 10～20 年 |

**1856 年吉林中部调查洪水洪峰流量表**

| 调查地点 | | | 被调查人 | 内容摘要 |
|---|---|---|---|---|
| 水系 | 河流 | 河段 | | |
| 第二松花江 | 第二松花江 | 丰满 | 王喜昌(1962 年龄 65 岁) | 听老人讲,咸丰六年大水比宣统年高 3 尺。 |
| | 第二松花江 | 松花江 | 杨守山(1976 年龄 86 岁) | 我家在这住 200 多年。我爷爷和太爷爷常说,咸丰六年松花江涨的水最大,大水过了石桥,石桥墩子可以拴船,那是最大的一次洪水。 |
| | 团山子河 | 大口饮 | 李万选(1960 年龄 77 岁) | 听父亲讲咸丰六年发生过一次大水,比宣统元年(1909 年)水还大。 |
| 拉林河 | 卡岔河 | 前红石 | 左永清(1960 年龄 76 岁) | 听我父亲讲,在咸丰六年七月卡岔河发生过一场大水,那年水最大,水到我家院内的拴马桩丫巴叉上。 |
| | 拉林河 | 牛头山 | 李福(1962 年龄 68 岁) | 大约在我 10 岁时,听 70 多岁的爷爷讲,咸丰六年的水刚要进屋,但是没有进屋,而大同元年(1932 年)的水才到大门口。 |
| 东辽河 | 东辽河 | 李家烧锅 | 许庆虞(1957 年龄 81 岁)<br>董玉山(1957 年龄 62 岁) | 民国六年(1917 年)的水比咸丰六年的水大,两次水相差 4 尺。<br>我原住赫尔苏,修水库后搬来本屯。民国六年水比咸丰六年的水大。咸丰六年水到赫尔苏西大寺大门口第二台阶。民国六年的大水,把赫尔苏的街冲了半截,西大寺被淹,泥像都浸在水中。这两场水相差 6 尺。 |

决口,水漫省城(吉林),城外一片泽国,淹没田地无数,分别延缓了征收旗民的谷物和丁银;在开原县,松花江水漫溢,河水泛滥,人畜尽溺,死伤无数,尸体和农作物、房屋残物满水面漂浮。

这次洪水的发生地吉林省,当时地处边陲,尽管历史文献较少,多数河段缺乏洪痕标记,洪水大小只能根据县志记载作出定性分析,但是对分析当地大洪水的重现规律,仍有参考意义。

# 11. 1870年长江中上游罕见的特大洪灾

1870年(清同治九年)7月,长江中上游发生了罕见的特大洪水。主要由于长江上游连续出现大雨和暴雨,嘉陵江中下游地区和重庆至宜昌段干流区间出现强度很大的暴雨,上游岷江、雅砻江,中游汉江、洞庭湖也出现大雨和暴雨。大雨区范围很广,致使长江上游发生了这一场特大洪水。

当年6月夏汛期间,江西鄱阳湖大雨,湖南沅江上游及资江大雨;湖北汉江暴雨成灾,从而抬高了长江中下游江河湖泊的水位。7月中下旬,暴雨进入长江上游地区。7月13日至19日,嘉陵江中下游和长江干流重庆至宜昌区间发生了一次历史上罕见的大暴雨,史载"雨如悬绳,连七昼夜"。宜昌以上暴雨笼罩面积约为16万 $km^2$。7月17—19日,暴雨缓慢移到汉江,又东移至宜昌至汉口区间和洞庭湖地区,使长江上游的洪水出峡后与中游洪水及汉江洪水恶劣遭遇。这场暴雨除嘉陵江中下游和长江下游干流雨强度很大外,上游支流岷江、雅砻江也出现大雨或暴雨,致使中下游及长江干流重庆至宜昌段出现了数百年来最高洪水位。

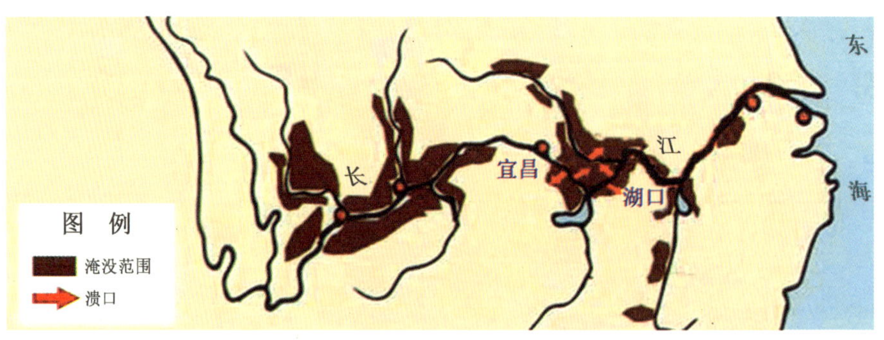


洪水淹没范围及溃口位置示意图

7月,随着暴雨进入长江上游地区,嘉陵江发生罕见洪水,北碚站洪峰流量达57 300 $m^3/s$。而长江干流各河段洪峰流量为:寸滩站100 000 $m^3/s$,万

县站 108 000 $m^3/s$，宜昌站 105 000 $m^3/s$，枝城 110 000 $m^3/s$。上游洪水与中游洪水双重遭遇后，泛滥成灾，30 天洪量为 1 650 亿 $m^3$。经过宜昌至汉口区间的江漕、河、湖等调蓄后，至汉口附近归入江漕。汉口站洪峰水位为 27.36 m，推算洪峰流量约为 66 000 $m^3/s$。根据记载，长江干支流最高洪水水位出现时间：嘉陵江下游为 7 月 16 日；长江干流江津为 7 月 17 日；万县为 7 月 18 日；宜昌为 7 月 20 日；汉口则为 8 月 3 日。

1870 年的这场长江特大洪水，灾情十分严重，损失之巨，范围之广，为数百年所罕见，从四川盆地到中游平原湖区，估计有 30 000 $km^2$ 的地区遭到洪水淹没。由于暴雨洪水主要集中在嘉陵江中下游及其支流与三峡地区，因而使四川、湖北、湖南三省遭受空前罕见的灾害。据统计，1870 年四川省有 20 余州县，湖北省有 30 余州县，湖南省有 20 余州县遭受严重洪水灾害。江西、安徽省沿江城镇水灾也较严重。嘉陵江各河沿岸、重庆到汉口长江沿岸城镇农田普遍被淹没，合川、重庆、万县、宜昌以及沿江各城镇洪灾损失十分巨大。有记载：合川“城内水深四丈余，仅余缘山之神庙、书院与民舍数十间，水连八日，迟半月始落……满城精华洗劫一空，十余年未复元气”，合川市城区积水 12 m 左右，城区的北部地区被水全淹；宜昌“郡城内外概被淹没，尽成泽国”，而在宜昌以下圩堤普遍溃决，这年在松滋、藕池、太平等河口大量分洪的情况下，荆江大堤没有决口，但是监利以下荆江北岸堤防多处溃决，江汉平原与洞庭湖区一片汪洋。该年黄家铺决口，形成了荆江向洞庭湖分流的另一河流——松滋河。至此，荆江形成“四口”分入洞庭湖的格局。

对于 1870 年长江上游发生的这场历史上罕见的特大洪水进行深入调查研究，对三峡工程合理设计排洪量具有重要意义。

## 12. 1888年辽宁东部跨越国界的洪灾

被洪水冲毁的房屋

1888年8月，我国的辽宁省东部地区发生了历史上著名的特大洪水。该次洪水主要发生在辽河干流以东的浑河、太子河、鸭绿江中下游干流、浑江支流以及辽东沿海诸条小河，本次洪水波及的范围还包括现在的朝鲜民主主义人民共和国。这场灾害主要是由大强度的降雨引发的。

根据记载，暴雨发生在8月7—19日（农历六月末至七月十二日），这期间共有3次降雨过程（7—9日、12—14日、16—18日）。前两次雨量较大，降雨历时约为13天。这场暴雨特点是持续时间较长，淫雨和暴雨相间，降雨强度大，暴雨覆盖范围也很广。而当年7月下旬至8月中旬暴发的3次台风，台风北上或西行，与本次暴雨发生有直接关联。雨区主要位于浑河、太子河、辽河下游，辽东半岛诸河、鸭绿江中下游以及第二松花江支流辉发河流域，笼罩面积约 为11万$km^2$。暴雨中心主要在位于鸭绿江下游的叆河、蒲石河和大洋河 一带。

这是一场很稀遇的洪水，鸭绿江下游干流荒沟、支流浑江的洪水重现期都在100年以上，蒲石河、叆河以及浑河洪峰流量均达到100年一遇，太子河洪峰流量约为60年一遇。洪峰流量大洋河沙里寨（集水面积4 810 $km^2$）为15 600 $m^3/s$，鸭绿江荒沟（集水面积55 420 $km^2$）为44 800 $m^3/s$，浑江沙尖子（集水面积14 813 $km^3$）为24 400 $m^3/s$。

本次洪水受灾范围很大，灾情非常严重，不仅鸭绿江中下游干流、浑江、太子河上游洪水暴涨，泛滥成灾，而且大凌河、辽东沿海诸河也泛滥成灾，使

沿海一带受灾非常严重。辽宁省义县、新民、铁岭以东地区和吉林省的盘石、临江以南地区，受灾区域共有 30 余个州县。抚顺、沈阳、辽阳、营口、丹东、通化、海龙、柳河、新宾、桓仁、海城、盖平和凤凰城等 10 余座城镇，城中严重积水，房屋和城墙也被冲毁。

**1888 年辽宁东部地区调查洪水洪峰流量表**

| 水系 | 河名 | 河段名 | 集水面积（$km^2$） | 洪峰流量（$m^3/s$） | 重现期或稀遇程度 |
|---|---|---|---|---|---|
| 鸭绿江 | 浑江 | 通化 | 4 752 | 8 040 | 1888 年以来最大 |
| 鸭绿江 | 浑江 | 桓仁 | 10 566 | 19 400 | 200 年 |
| 鸭绿江 | 浑江 | 沙尖子 | 14 813 | 24 400 | 100～200 年 |
| 鸭绿江 | 鸭绿江 | 荒沟 | 55 420 | 44 800 | 100 年以上 |
| 鸭绿江 | 蒲石河 | 小孤山子 | 1 096 | 6 630 | 1888 年以来最大 |
| 鸭绿江 | | 梨树沟 | 5 629 | 17 600 | 1888 年以来最大 |
| 黄海岸 | 碧流河 | 茧场 | 1 170 | 5 000 | 100 年以上 |
| 黄海岸 | 大洋河 | 沙里寨 | 4 810 | 15 600 | 1888 年以来最大 |
| 大清河 | 大清河 | 望宝山 | 1 070 | 5 130 | 约 60 年 |
| 浑河 | 浑河 | 大伙房 | 5 437 | 10 100 | 100 年 |
| 浑河 | 浑河 | 沈阳东陵 | 7 919 | 11 900 | 100 年 |
| 太子河 | 太子河 | 参窝 | 6 175 | 12 900 | 约 60 年 |

根据中国和朝鲜两国的有关文献资料的记载，在这场洪水中，中国一侧受灾耕地为 2 130 万 $hm^2$，其中 1 230 万 $hm^2$ 收获在三成以下，受灾人口为 57.2 万余人，淹毙 785 人；朝鲜一侧受灾 2 300 余户，死亡 300 余人。

这场洪水使中国和朝鲜都蒙受了很大的灾难和损失。随着全球气候的变暖，洪水以及其他灾害将会增多，所以抗灾的国际合作也日显迫切。

## 13. 1889年美国南福克水库人为造成大坝决口引起洪灾

被破坏的约翰斯敦成为一片废墟

1889年5月31日，美国当地时间下午3点钟，距约翰斯敦上游19.311 km，位于宾夕法尼亚州西部山区的南福克水库大坝决口(大坝长约304.8 m，高30.48 m，根基厚27.43 m，顶部厚6.10 m)，大水通过一个137.16 m的口子泻出，以11 327.15 $m^3/s$的最高流量沿峡谷从约翰斯敦上方121.92 m的高度直泻而下，将南福克、米纳勒尔波因特、伍德韦尔、东科尼莫、高蒂尔米尔斯以及约翰斯敦毁为一片废墟。死亡报道数字各异，大多数报道称死亡2 500人，也有人认为死于这场灾难的人数达7 000人。据统计，这次灾难造成的损失按保守数字估算超过1 700万美元。

如今的约翰斯敦市流传着这样一个笑话：几十年里该市经历了数次来自科尼莫河以及其支流斯托尼克里克河的小洪涝。每次街道上一进水，大家就重复这样的一句老调：“大坝决口了——快往山上跑哇！”

南福克水库大坝于1852年建成。在1875年被国会议员约翰·赖利买去，5年后赖利又将其移交于一家乡村俱乐部。俱乐部领导人B. F. 拉夫上校是一个富有的铁路和隧道承包商，为了防止可捕食的鱼从此处逃脱，他指

灾难时鸟瞰图

示把底部雨雪水溢洪道堵住，这就使上涨的水只能通过顶部上方一个木板水槽排泄。17 000 美元就用在了这项修改工程上，但却没有修补早该维修的水坝。在 1889 年 5 月 31 日中午，南福克水库大坝范围内下起了大暴雨，持续了 20 分钟，使得水位升高了 3 英寸(约 8 cm)。紧接着，水坝出现了裂缝，开始漏水，最后大坝瞬间爆裂。

约翰斯敦的这场严重的水灾过去后，7 500 名工人花了三个月时间清理废墟，掩埋能找到的尸体。经过几星期的奋战，从石缝中、倒塌的建筑物下清理出了数千具无名尸体，将他们全部安葬在公共墓地。

当时的《纽约世界报》记载了这样的一段文字：任何一个美国城市都不曾有过如此令人惨不忍睹的景象。数十名约翰斯敦市民在心理失去平衡的情况下到处乱跑，阻碍着这项可怕的清尸工作；一位传教士沉溺于纵酒而不能自拔，几次企图自杀；一位妇女坐在河边，手里抓着她所剩下的唯一财产——一个破钟，认为这就是她在水灾中失去的孩子。破产、孤儿院、丧偶、失子、被毁的家园、拥塞的公墓，面对这一幕幕给人的心灵造成巨大创伤的惨景，这不能不令人感到震惊。

大坝管理上的混乱是导致这场灾难的直接人为原因，主要表现为缺乏水安全常识和片面追求经济效益。南福克水库决口给予人们的惨痛教训是极其深刻的！

# 14. 1904年黄河上游及川西北跨流域大洪灾

1904年7月11—18日，在青藏高原东侧青海东部、甘肃南部、四川西北部、内蒙古河套、伊盟等地区，下了一场持续性的大雨，雨区包括长江、黄河上游广大地区，致使黄河上游、渭河上游、嘉陵江支流西汉水和白龙江、大渡河及其支流青衣江以及雅砻江上游等河流，发生一场近百年来罕见的跨流域的大洪水。

黄河上游大部分地区是高原草原地貌，海拔高度在2 000 m以上，大气中水汽含量少，加之受青藏高原热力与动力的影响，造成该地区降雨极少而且比较均匀，最大24小时暴雨不超过100 mm，年平均日降雨大于50 mm的暴雨日数基本在0.2天以上。然而引起1904年这场大范围降雨的原因是，太平洋副高位置北进西伸，强而稳定，造成印度低压偏北，长时间维持较强的西南气流，巴湖低槽缓慢东移，并不断分裂小槽，使雨区上空形成稳定的锋区，从而造成本地区大面积的持续性的大雨或暴雨。

该年7月上旬开始，在黄河河源区及四川西部先期出现降雨，而后来5～7天的大雨，范围更广，包括西宁、兰州一线以南，天水、成都以西，澜沧江以北地区约54.4万$km^2$。

根据调查发现，各河流洪水多从7月11—14日上涨，15—18日出现洪峰，洪水过程8～20天不等。各河所形成的洪水峰高量大。主要河流洪峰流量约为实测最大记录的1.09～1.53倍。黄河上游干流兰州站（集水面积222 551 $km^2$）洪峰流量8 500 $m^3/s$，为当地有调查和实测记录以来的最大洪水，洪峰流量重现期为130～170

大片田地成为“泽国”

年。长江上游大渡河泸定站(集水面积 58 943 $km^3$)洪峰流量 7 340 $m^3/s$,雅砻江雅江站(集水面积 65 729 $km^2$)5 840 $m^3/s$,都是约 100 年一遇以上特大洪水。估计黄河兰州 15 天洪水总量为 87.0 亿 $m^3$,大渡河泸定 7 天洪水总量为 37.3 亿 $m^3$。

**1904 年 7 月黄河上游及川西北调查洪水洪峰流量表**

| 水系 | 河段名 | 集水面积 ($km^2$) | 洪峰流量 ($m^3/s$) | 重现期 (年) |
|---|---|---|---|---|
| 黄河 | 贵德 | 133 650 | 5 900～6 300 | 130～170 |
| 黄河 | 兰州 | 222 551 | 8 500 | 130～170 |
| 黄河 | 安宁渡 | 243 868 | 8 640 | 130～170 |
| 大渡河 | 泸定 | 58 943 | 7 340 | 100 以上 |
| 雅砻江 | 雅江 | 65 729 | 5 840 | 100 以上 |
| 白龙江 | 碧口 | 26 086 | 5 370 | 75～150 |
| 洮龙江 | 沟门村 | 24 973 | 3 000 | 约 70 |
| 大夏河 | 冯家台 | 6 851 | 1 160 | 约 100 |

当时的文献中有这样的记载,黄河上游兰州"六月初间,连日阴雨,黄河上游逐渐泛涨至二丈有零"、"五月二十九日开始涨水,六月初六涨得最大,初七开始塌,初九滩就落出来了";贵德"水涨了四五天才下去,一个月才退完";渭河上游、黑河上游均于六月初一至初四间起涨,过程七八天;内蒙古地区"河套阴雨连绵,河水暴涨";包头市"城内外山岗水顺沟冲下,刹那间,水深波顶变成泽国"。

这场洪水,受灾范围广,灾情严重,给该地区人民生命财产带来巨大损失,很多人死于洪水,民房被冲毁无数,农田被毁,使数以万计的人无家可归。由于该地区地域广阔,气候高寒,历史上人烟稀少,洪水灾害主要发生在洮河中下游和湟水河谷。据调查,黄河兰州一带受淹面积约1 500 $km^2$,受灾人口约达 27 900 人,被毁房屋约 17 400 间。据记载,洮河一带连续有 4 昼夜大雨,瞬时间山洪暴发,洮河猛涨,桥梁被冲毁。在临洮,有 60 多公顷田地被淹没。在内蒙地区,由于来自上游甘肃的洪水,导致黄河内蒙段出现多处决口,尤其是长济渠东南至短辫子河新渠一段最为严重。

# 15. 1909年第二松花江近百年一遇的大洪灾

1909年7月，我国东北第二松花江中游因暴雨引发了一场洪水。这场暴雨仅仅在7月23、24日下了两天，却在第二松花江中游各支流，以及拉林河上游和牡丹江上游引发了70至100年一遇的大洪水。

当年的暴雨主要是由冷锋与热带低气压间接作用造成的，即热带低气压携带的水汽在副高西北侧偏南气流的引导下北上，与中高纬度冷锋结合，在第二松花江中游区发生了特大暴雨。暴雨区位于长白山西侧，范围包括吉林省的蛟河县、吉林市、舒兰县等7个县，黑龙江省的尚志县和王常县，约五六万平方千米。暴雨中心区在永吉、蛟河、舒兰、九台4县。有文字记载：第二松花江中游地区在农历六月初八黎明突降大雨，暴雨整整下了一天，造成温德门、牤牛河涨水，一大片地区成为泽国。据民间调查了解，在丰满，农历六月初七、初八两昼夜雨水下个不停。哈尔滨站最大日降雨是在7月23日(农历六月初七)，降雨量为52.3 mm；长春站最大日降雨是在7月24日(农历六月初八)，降雨量为43.1 mm；牡丹江站最大日降雨是在7月23日(农历六月初七)，降雨量为15.1 mm。受到前一天的暴雨突袭，7月24日第二松花江中游的各支流、干流的丰满、吉林河段，以及拉林河和牡丹江上游的支流都发生了洪水，其中丰满河段洪峰主要来自红石砬子、五道沟至丰满区间。根据调查发现，第二松花江干流吉林站洪峰流量为12 900 m³/s，其支流牤牛河江密峰洪峰流量为2 130 m³/s；拉林河上游支流白音河亮甲山洪峰流量为878 m³/s；牡丹江敦化站洪峰流量达1 990 m³/s。由于这场暴雨

**1909年7月20—26日逐日降雨量**

(单位：mm)

| 日期 | 长春 | 哈尔滨 | 牡丹江 |
|---|---|---|---|
| 20日 | 0 | 2.1 | 0.5 |
| 21日 | | 3.1 | 1.8 |
| 22日 | | | |
| 23日 | | 52.3 | 15.1 |
| 24日 | 43.1 | 0 | 5.8 |
| 25日 | 7.2 | 0.1 | 2.6 |
| 26日 | | | |

街道既可行人又可行舟

强度很大，洪水暴涨，水势凶猛，退水又较慢，因而造成局部地区灾害惨重。当年水灾淹死村民 2 000 人左右。洪水冲毁田地达万余亩，冲毁房屋难以统计。由于江水猛涨，哈尔滨道外傅家甸部分江堤被冲毁，洪水泛滥成灾，淹没房屋 7 000 余间。同时呼兰河也发生水灾，当年的清政府对呼兰河所属的村民特别延缓了征收粮食的时间。根据对第二松花江支流牤牛河沿岸的 8 个自然屯初步统计，溺死于本次洪水的人数达 350 人以上。其中仅双岔河屯就淹死 137 人；东崴子屯被扫光；河北屯仅有 47 户，被大水就冲走了 46 户。

**主要河段洪水洪峰流量表**

| 水系 | 河名 | 调查地点 | 集水面积（$km^2$） | 洪峰流量（$m^3/s$） |
|---|---|---|---|---|
| 第二松花江 | 漂河 | 横道河子水文站 | 532 | 1 210 |
| | 拉法河 | 蛟河水文站 | 2 426 | 3 400 |
| | 第二松花江 | 丰　满 | 42 693 | 12 000 |
| | 五里河 | 口前水文站 | 830 | 2 100 |
| | 第二松花江 | 吉林水文站 | 44 102 | 12 900 |
| | 牤牛河 | 江蜜蜂 | 618 | 2 130 |
| | 团山子河 | 大口钦 | 799 | 1 630 |
| | 沐石河 | 二道沟水文站 | 1 078 | 886 |
| | 第二松花江 | 松花江水文站 | 51 970 | 10 400 |
| 拉林河 | 白音河 | 亮甲山 | 624 | 878 |
| | 牤牛河 | 龙凤山水库 | 1 736 | 1 650 |
| 牡丹江 | 牡丹江 | 敦化水文库 | 2 047 | 1 990 |
| | 牡丹江 | 宁　安 | 16 300 | 3 040 |

位于长白山西侧的低山丘陵区是东北地区主要暴雨、洪水区之一，易出现大强度暴雨，引发大洪水，这对哈尔滨等沿江城市构成威胁。因此，研究该地区的洪水暴发规律，对做好哈尔滨等沿江城市的防洪工作十分有意义。

## 16. 1915年珠江全流域特大洪灾

被冲毁的房屋

1915年6月下旬到7月上旬，我国南部地区发生了大面积的大暴雨，东、西、北三江同时发生大洪水或特大洪水，引发珠江流域出现历史罕见的大洪灾。

这场暴雨中心位于南岭山区和武夷山区，包括北江、桂江、贺江、北流河以及闽江支流沙溪、赣江、湘江的中上游，影响面积约50万$km^2$，主要由6月下旬至7月上旬一直稳定在华南上空的静止锋造成。

珠江水系由西江、北江、东江及珠江三角洲诸河构成，其中西江是珠江流域的最大支流。各支流从6月25日开始涨水，并在西江干流相遇，使干流梧州水文站出现流量为54 500 $m^3/s$的特大洪峰，洪水历时30余天，洪水总量达544亿$m^3$，北江横石流量21 000 $m^3/s$，均为近200年来最大洪水。受到南北两江与濛江、北流河、抚河(桂江)同时涨水的影响，位于广西东南部的滕县洪水水位非常之高，淹至古藤州牌坊下，实为空前，为百年未有之巨灾。7月上旬，西江水系各支流普遍发生较大洪水，干流梧州站7月10日出现最高水位27.07 m。东江洪水稍先进入三角洲，紧接着西、北江洪水接踵而至，三江洪峰基本上同时到达三角洲，又适逢六月初一(7月12日)大潮，珠江三角洲遭到有史可考的最大水灾。

这次洪灾涉及到云南、广西、广东、湖南、江西、福建等6省100个市(县)，其中以广西、广东、湖南、江西4省区灾情最严重，两广受灾农田达

广州被淹的街道

94.7 万 $hm^2$，受灾人口 600 万左右。

广西省南宁、苍梧、桂林、柳江、田南、镇南等 30 余县均受水灾，受灾人口约为 220 万，灾民流离失所 40 余万人，冲塌房屋 10 余万间，田禾财产牲畜荡然无存，受灾面积约 26.7 万 $hm^2$。广东省西、北、东江及珠江三角洲以及粤西沿海 25 县受灾，佛山镇数十万难民露宿山岗，绝食待救，有传言说当时死亡 2 万多人。尤以珠江各水系下游及三角洲地区受灾最为严重，几乎所有堤围全部崩溃。广州市自 7 月 11 日受淹至 18 日水犹未退尽，城区被水淹浸长达整整 7 昼夜。广州市西关因地势低洼洪灾尤为严重，12 日适逢大潮，水势增高使长堤大马路水深超过 1 m，13 日水涨更加迅猛，长堤水深达到 3 m，新城城外均成泽国。整个三角洲地区的灾民达 328 万人，死伤 10 万余人。

广州受淹一角

大江大河特大洪水的形成，与中小河流不同，并非由于流域内出现极大的暴雨而往往是由于暴雨中心位置的移动，使干、支流洪水相互叠加的结果。1915 年的这场珠江洪水就是一个典型的案例。

## 17. 1917年台风暴雨引发海河特大洪灾

1917年，华北海河流域发生了特大水灾。这年雨季长达3个月，6月下旬开始出现暴雨，7月、9月两次遭台风暴雨袭击，各河洪水同时上涨，这是导致该次海河流域洪水的重要原因。

这年的7月份，接连的两次台风侵扰，使海河流域从7月20日至28日连降大雨，其中23—28日出现大范围暴雨，太行山、燕山迎风侧均被暴雨所笼罩。这次暴雨的中心在大清河和滹沱河流域。与此同时北部平原也发生大暴雨，天津附近周家庄7月25—27日3天雨量为360.5 mm，最大日雨量为262.5 mm。8月雨水虽比7月小，但同常年8月比不相上下(常年8月是全年雨量最集中的月份)。因此，8月水情反有增长之势。7、8月北京地区降雨547.0 mm，天津590.0 mm，保定589.0 mm，大名487.0 mm。

海河五大水系和滦河的中上游普遍发生了大洪水。永定河上游支流暴雨成灾，桑干河和洋河山洪暴发，洪水入城，冲毁房屋，淹死人畜。卢沟桥最高水位64.2 m，最高洪峰流量为3 660 $m^3/s$。永定河的泛滥使洪水直逼北京城下，城南低洼地带被大水淹没。子牙河系的滏阳河7月24日大雨，7月26日东武仕调查洪峰流量为2 000 $m^3/s$，槐河、泜河大桥被冲毁。大清河和子牙河洪水最大，据分析粗略估计，大清河上游各支流及子牙河水系越过京广线的最大流量分别为20 000 $m^3/s$以上和30 000 $m^3/s$以上。30日滏阳河河水在宁晋新河出槽，刘公堤决口27处，冲沟10 m深，刘公堤荆家庄推算最高水位约为28.9 m，新河全县受淹，冀县码头、垒头等处漫决。邯郸农历六月初六那天大雨突降一昼夜，第二天山洪暴发，泌、渚、滏等河水把整个县城变为了一片汪洋。

这场洪水淹没了大半个天津市，滨海灾区面积近4 000 $hm^2$，而整个河北省有103个县受灾，受淹面积约为3.9万 $km^2$，受灾人口达620万人。

大清河的六郎堤被洪水冲坏，堤面水深1.6 m，北拒马河与永定河同时涨水，7月26日、27日涿县城外平地积水深达3 m之多。当时天津的《日知报》8 月 8 日这样报道:“全县 390 余村中,受灾 300 村左右,房屋十倒七八。”位于鹿头村与永乐之间的京汉铁路遭洪水淹没,高碑店至西陵的铁路桥梁全被冲毁,不能通车。北运河从 7 月 23 日起便遭到大雨的袭击,通县沙右堆、张辛庄堤万分危急,虽经加固、抢修,仍溃堤 300 余米。大清河支流也同时涨水,磁河右堤漫决 320 m,左堤漫决 2 758 m,木刀河两岸漫溢万余米。沙、部两河堤岸被冲决 5 处,新乐沙河桥附近 4 处决口,共计 1 997 m。

1. 难民收容所

2. 老西开教堂

3. 交通旅馆门前船只交错

4. 中原公司门前水深没腰

由于当时政治腐败,战事连绵,政府的经费都用于战争支出,完全顾不上抗洪救灾。上海《字林西报》10 月 4 日的社论指出:“此次灾区调查水灾各工程师皆言,北方三水确可治理,或曰今日财政奇窘无银款治水为之奈何?曰,不然,今日自与德奥宣战后,二国赔款一千六百万英镑,应付协约国亦允缓付五年,此大宗款项以治直隶之水,绰绰有余矣。”但在当时的政治与经济条件下,谈治河只能是纸上谈兵。

# 18. 1921 年淮河 20 世纪洪量最大历时最长的洪灾

淮河流域，平原占地面积很大，大约是山地面积的两倍。干流河道比降非常平缓，下游又受到洪泽湖顶托，连续的大雨和暴雨一旦出现在这样的自然地形状态，就有可能造成流域性的洪涝灾害。1921 年、1931 年和 1945 年都因此出现了 20 世纪淮河三次流域性的大洪水。其中 1921 年的洪水历时在这三次大洪水中是最长的，而且正阳关、蚌埠、中渡各站 120 天洪水总量均为这三次大洪水之最。

淮河大水中逃难的灾民

在 1921 年汛期，淮河流域降雨连绵不断，持续时间长达 70～100 天，较集中的降雨过程有 6 月 16—26 日；7 月 5—15 日；7 月 26—31 日和 8 月 20—31 日 4 次，各次降雨历时约 6～10 天。其中蚌埠日最大降雨量为 216.7 mm。而雨水于 7 月份最为集中，占 6—9 月雨量的 45%～60%。淮河干流正阳关站 8 月 30 日出现最高水位 23.44 m，直至 11 月 20 日才退尽；蚌埠站 8 月 19 日出现最高水位 20.09 m，11 月 30 日退尽；洪泽湖蒋坝站 9 月 7 日出现最高水位 16.00 m，11 月 30 日退尽。7、8 月降雨高值区除了淮河中下游外，还扩大到了长江下游、苏浙沿海以及沂沭泗地区。

淮河上、中、下游，全流域普遍成灾，造成鲁、豫、皖、苏四省的农田淹没

面积达 332 万 $hm^2$，灾民 760 余万人，死亡 2.49 万人，房屋损坏 88 万间，财产损失 2.15 亿银元，以苏、皖灾情最重。此次水灾，江苏省受灾区域达 51 县，以淮扬、徐海、苏常三线灾情最重，金陵次之。遍及霍邱、颍上、盱眙等 10 多个县约有 11 700 $km^2$。在淮河上游的信阳，“民宅被毁，城墙崩溃；确山河水涨溢，平地水深数尺。灵璧、寿县、宿县等 10 多个县尽成泽国。”淮河全水系受灾面积达 267 万 $hm^2$。另外，沂、沭、泗地区灾情也很严重，“一片汪洋，颗粒不收”，“城内街巷可行船”，“禾稼全淹”等等文字形象描述了当时惨不忍睹的景象。

被水围困的村舍

当时政府积极采取了一定的措施。在当年 5—7 月，先后启放归江草坝 6 处，至 8 月淮、运大涨，又启放里运河归海 3 坝，从而保全了里运河东堤没有溃决。

# 19. 1926年洞庭水系百年奇灾

1926年对于湖南来说是特殊的一年，湘江、资水、沅水下游及洞庭湖区数百里一片汪洋，洪水淹没40多个县，淹死千余人。对于湘土可谓是“百年仅有奇灾”。

1926年6月下旬至7月初，洞庭湖水系阴雨不断，历时10余天。其中更是有4次大暴雨袭击了湖南北部及中部，暴雨主要集中在湘江和资水的中下游。这次连续性的降雨使得湘、资、沅三水中下游，以及赣江的支流袁水发生大洪水。

江堤决口

灾民无处安身

湘江干流的株洲站和湘潭站的洪峰流量分别为19 600 $m^3/s$、21 900 $m^3/s$，为该地区近百年来最大洪水。资水干流和支流也同时发生大洪水，与湘江流域下游的洪水连成一片，桃江站洪峰流量21 500 $m^3/s$，为近150年来的最大洪水。沅江干流和支流洪水也很凶猛，桃源上游王家河河段洪峰流量30 200 $m^3/s$，约相当于200年一遇。

7月，三条江水流经的长沙、益阳、常德三市同时出现最高洪水水位，洞庭湖的水位也急速上涨。南洞庭湖支流水系汨罗江发生大洪水，特别是其

上游发生了特大洪水。

十多日来，水势凶猛，昼夜不休。这场洪水使湘、资、沅三水中游及洞庭湖区 40 余县市受灾，鄂、赣、皖三省也有局部县镇遭受重灾。灾区一片汪洋，尽成泽国，沿河两岸的房屋都被淹没，被毁坏的房屋和被淹死的人口牲畜不计其数，被淹没的田禾一望无垠，惨绝人寰是当时人民在水深火热中挣扎的真实写照。

民房尽泡水中

然而洪水泛滥成灾，百姓的难声四起，这些都没有引起当时政府的重视。忙于内战的国民党政府无心顾及防洪工程建设，千疮百孔的防洪工程遇到来势凶猛的洪水便不堪一击地纷纷溃决了。国民党政府既没有组织抗洪救灾工作，也没有在洪水到来时发出最基本的报警信号，政府的无所作为使得灾情更加严峻！

洪水是无情的，面对洪灾应该团结一切可能力量，众志成城，齐心抗洪，以尽可能地减少灾害带来的恶情。就当时情况来说，无情的洪水和国民政府的无能是造成这次百年仅有的奇灾的真正原因。

# 20. 1930 年辽宁西部罕见暴雨带来的特大洪灾

1930 年 8 月初，位于辽宁省西部的大凌河流域发生一场罕见的特大暴雨，并由这场 24 小时雨量超过 1 000 mm 的特大暴雨引发了一场特大洪灾。

7 月上旬，该地区就开始阴雨连绵，8 月上旬，滦河下游及其支流青龙河又开始降大暴雨，滦县、卢龙地区，雨量逐日增加。几天时间里，雨区逐渐扩大到辽宁的绥远、义县和阜新一带。此次暴雨由太平洋副热带高压、台风和冷锋共同影响所形成。暴雨区主要位于辽东湾西岸努鲁儿虎山山前地区，呈西南—东北向分布的雨带，使辽河西侧的支流柳河、绕阳河以及独流入海的大、小凌河和六股河均为暴雨所笼罩，进而发生了近百年来特大的洪水。

当年，辽宁西部的辽河、青龙河、大凌河、小凌河、渤海沿岸诸河流几乎都遭遇了近百年来最大的洪水。有数据显示，大凌河支流西河复兴堡河段集水面积 2 862 $km^2$，洪峰流量 16 200 $m^3/s$；小凌河锦州河段集水面积 3 100 $km^2$，洪峰流量 11 700 $m^3/s$。流量之大，在历史上罕见。东辽河及河北省的青龙河上游为迄今最大洪水，青龙河下游为 1790 年来第 3 位洪水。

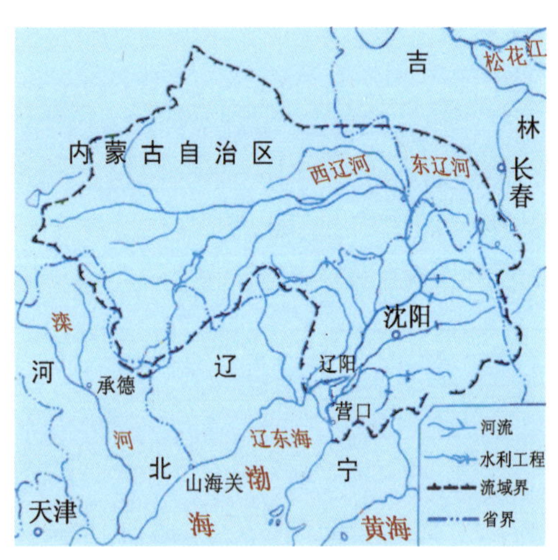


辽河流域图

1930 年的这场洪水破坏的范围较广，自河北省的滦县流域一直到辽宁省辽河干流以西地区，甚至到吉林省西部的部分地区都遭到不同程度的水灾，其中，辽西地区受灾最为严重。据有关文献记载，西起绥中、锦县、义县、北镇、盘山、黑山、彰武，东迄新民、辽中、台安，长六七百里，宽二三百里，一片汪洋，尽成泽国，淹死民众一万多人，冲倒房屋

一万多间，无衣无食之难民不下四五十万人。北宁铁路自河北省昌黎至辽宁省新民区间全线中断。据当时的不完全统计，当时的受灾人口达 240 余万，死亡万余人口，倒塌房屋 10 多万间，毁坏田地 17.3 万 $hm^2$。

城市街道被淹

辽西 1930 年的这次洪灾，24 小时雨量超过 1 000 mm，实属罕见，迄今为止，在我国大陆本土只有三次，另两次分别发生在 1975 年 8 月的河南林庄和 1977 年 8 月的内蒙古乌审旗，且都发生在我国的北方，这些难得的实例对研究我国暴雨极值具有重要的科学价值。

**1930 年 8 月辽宁西部调查洪水洪峰流量表**

| 水　系 | 河　名 | 河　段 | 集水面积 $km^2$ | 洪峰流量 ($m^3/s$) | 重现期或稀遇程度 |
|---|---|---|---|---|---|
| 大凌河 | 西河 | 伊马团 | 364 | 4 400 | 近百年来最大 |
| 大凌河 | 西河 | 复兴堡 | 2 862 | 16 200 | 100 年以上 |
| 小凌河 | 小凌河 | 锦州 | 3 100 | 11 700 | 100 年以上 |
| 渤海岸 | 六股河 | 前白水 | 1 490 | 7 230 | 近百年来最大 |
| 渤海岸 | 南河 | 山嘴子 | 90 | 1 060 | 近百年来最大 |
| 辽河 | 饶阳河 | 东白城子 | 2 138 | 5 370 | 100 年以上 |
| 辽河 | 东沙河 | 友邻水库 | 405 | 5 660 | 近百年来最大 |
| 辽河 | 八宝海河 | 青龙河 | 123 | 2 120 | 近百年来最大 |
| 青龙河 | 起河 | 八宝海水库 | 774 | 3 040 | 1930 年以来最大 |
| 青龙河 | 青龙河 | 桃林河 | 5 060 | 12 000 | 约 60 年 |

# 21. 1931年长江流域连续多次暴雨引起大洪灾



长江是我国的第一大河，也是我国多发洪灾的大河。1931 年就是长江流域洪水史上一次重要的连续多次暴雨洪水年。在当年珠江、长江、淮河、海河以及辽河、松花江流域不断出现大雨和暴雨，造成全国性的大水灾，凄风苦雨布满了中国大陆。

当年气候反常，雨季来得比常年早，大部分地区出现长时间的淫雨天气。4 月份，长江流域湘江、赣江上游降雨量均在 300 mm 以上，比常年同期增长 5 成至 1 倍。自 6 月下旬开始至 7 月份，雨带长时间稳定在长江中下游和淮河流域，降雨天数比常年高出 1 倍左右。7 月份梅雨期比常年延长半个多月，大部分地区雨量比常年多一两倍，局部地区高出三四倍。降雨过程分 3 个阶段，均在 11～15 天左右，其间又不断出现多次大暴雨，大雨区的位置始终徘徊在江淮和黄淮之间。该年汛期最大 30 天雨量(6 月 28 日—7 月 27 日)在 300 mm 以上的雨区主要在长江中下游和淮河流域，范围达 76 万 $km^2$，相应降水总量达 3 423 亿 $m^3$。

持续的大雨和暴雨，致使长江发生全流域性的特大洪水。1931 年洞庭湖、鄱阳湖水系雨季比常年提早半个多月，江湖前期水位较高。长江各大支流普遍发生洪水，岷江高场站洪峰流量 40 800 $m^3/s$，为近百年来第二大洪水。岷江洪水和金沙江洪水遭遇后，使得宜宾以下江水急涨，至重庆，又汇入嘉陵江。由于乌江等支流的洪水汇入，长江干流水位有增无减，宜昌出现特大洪峰。历经战乱的长江大堤早已是年久失修，不堪重负，关系着长江中游最大城市武汉安危的荆江大堤的情况更是糟糕。在特大洪峰的冲击下，大堤多处溃决，滚滚洪水冲向长江中下游 7 省 200 多个县市，昔日良田变成了一片泽国，近 350 万 $hm^2$ 的农田付与波涛，从沙市到上海的沿江城市几乎无一幸免。

洪水的来袭，煎熬着数千万灾民。长江流域的暴雨洪水使支流堤防大

量溃决，干流自湖北石首至江苏南通沿城溃决浸溢 354 处，城陵矶至汉口汪洋一片，武汉三镇被淹 3 个多月。湘、鄂、赣、皖、苏、浙及豫、鲁等 8 省受灾人口 6 330 万人，受灾农田 1 153.33 万 $hm^2$，45.5 万人死亡，直接经济损失达 24.38 亿银元。

武汉是在这次洪灾中遭难最烈、受灾最甚的城市。在 20 世纪 30 年代，武汉是中国的第二大都会，其地位和美国的芝加哥、英国的曼彻斯特、日本的大阪不相上下。而这次水灾把整个汉口、半个武昌和一部分汉阳，统统浸在水中，最深处达 15.8 m。浸泡时间少则 37 天，多则 133 日之久。当年 8 月中旬，“湖北水灾急赈会”商决组织临时医院，尽量收容医治难民，一概免费。中国红十字会汉口分会也组织救护队、掩埋队、医药队，分别在武汉各处转运收容难民，打捞浮尸、浮棺，掩埋尸体。汉口美国总领事电请美国政府拨款救济。美国红十字会特筹拨 10 万美金，以作急赈之用。

汉口大街行人靠船只往来

正值洪水大发的非常时期，各地方当局、各慈善团体以及热心绅商，纷纷发起水灾急赈会，开展了全国范围内的赈灾活动。中央政府成立了全国水灾急赈会，统筹赈灾事宜。虽然各方面所作的救灾努力众多，但还是因为灾区范围过广，灾民过多，灾情过重，面对滔滔洪水仍然无力应付。

1931 年的洪水属于长江流域最严重的洪水灾害之一，连续多次暴雨，干支流洪水遭遇造成全江性大范围洪涝灾害，昭示人们必须引起重视，加强防范。

## 22. 1931年淮河全流域大浩劫

1931年淮河流域大洪灾，是淮河自1855年黄河北徙至彼时4次全流域性大水灾中的一次，而且是最严重的一次。这一年中国境内几条大江大河也连续发生特大洪灾，可谓是祸不单行，而当年又正是日本人打进了东三省的时候。在这内忧外患的境遇中，中国人民在凄风苦雨中痛苦地挣扎着。

从6月中下旬直到7月中旬，淮河上游的暴雨就一直没有停止过，和当年其他大江大河一样不断出现长时间的大雨和暴雨。整个降雨过程可以大致分为三个阶段：第一个阶段是6月17—23日，暴雨区主要集中在淮河上游，最大日雨量为228.6 mm；第二阶段是6月28日—7月12日，淮南以及里下河地区连续降雨达10到15天，累计降雨量为400 mm以上；第三阶段是7月18—25日，淮南山区和里下河地区出现大暴雨，淮南降雨量100～300 mm，淮北是50～100 mm。三个阶段的降雨量主要集中在7月份，7月份降雨量在500 mm以上的面积约5.1万$km^2$，700 mm以上的面积有1.3万$km^2$，当年7月份降雨量为常年同期降雨量的2～3.5倍。

大量且持续的降水使淮河流域的干、支流水位同时从6月下旬开始上涨，7月底8月初相继出现最高水位，淮河大堤节节溃决。据相关数据得知，7月27日，正阳关水位最高达到了24.76 m，蚌埠站7月末出现了最大实测流量8 730 $m^3/s$，还原到决口之前，洪峰流量达到26 500 $m^3/s$，为历史上的最大值。进入洪泽湖时洪峰流量为19 800 $m^3/s$，在加大泄洪量的情况下，湖水水位仍然急剧上涨，8月8日水位达到了16.35 m，是1855年黄河北迁以后湖水水位最高的一年。淮河大水，使得淮堤节节溃决，蚌埠上下100余千米淮堤全部漫溢溃决，苏北运东大堤失守，溃决80多处，里下河地区10多个县被淹没。

在当年汛期，暴雨次数多，洪水总量大，酿成的灾难更大。当洪水从河南冲入皖北时，从信阳到五河之间的60多处堤坝一触即溃，蚌埠上下近100 km的淮河堤坝全线崩溃，地势低洼的淮北平原成了大水的新去处，300

万 $hm^2$ 的良田淹没于来势汹汹的洪水中。水位不断上涨的洪泽湖使淮河不断涌来的大水无处容身，洪水泛滥，为患四方。不久，灾难又扩大到江苏里运河地区。更糟糕的是，8 月下旬，天文大潮掀起狂风巨浪，使洪泽、高邮、邵伯三湖同时发生湖啸，邵伯湖的东堤首先决口，高邮附近的河堤也随即溃塌，里运河以东地区沉没于洪水之中。还有一些地势较低的县城也被淹没在茫茫洪水之中，水深 3 m 左右，部分地区方圆数百里转瞬之间就成了一片汪洋。据统计，这一年淮河全流域洪水淹没耕地面积约有 513 万 $hm^2$，受灾人口达到 2 000 余万，死亡人数 22 万，经济损失约为 7 亿银元。

兴化城东门米市被淹情形

在这非常时期，中央政府成立了全国水灾急赈会，统筹赈灾事宜。各地方当局、慈善机构也积极投入到水灾急赈的工作中，开展了赈灾活动。但洪水太大，灾情太重，救灾只起到了部分作用。

1931 年范围广、灾情重的水患，对淮河流域而言是一场巨大灾难，对当时的中国而言更是一场浩劫！

# 23. 1932年松花江流域严重大洪灾

1932年发生的松花江流域大洪水，使黑龙江、吉林、内蒙古等省区64个县旗市受灾，哈尔滨市更是遭到史无前例的灾难。

当年6—7月，由于西太平洋副热带高压带长期稳定地盘踞在我国东部沿海和日本海一带，阻挡了低压东移出海的去路，使流域内出现长时间的连续降雨。同时，在7—8月份，我国沿海一带出现多达8次的台风，使流域内持续阴雨连绵且出现暴雨的天气。从6月初开始的近70天内，整个松花江流域及乌苏里江西侧的支流、额尔古纳河部分支流始终阴雨连绵，7月份几乎天天降雨，各地降水日数几乎都在20天以上，哈尔滨市达到了26天之久。该月降雨总量在200 mm以上的雨区总面积超过50万$km^2$，其中月降雨总量达300 mm以上的雨区面积超过12万$km^2$。

在这么长时间，这么大范围的降雨过程中，嫩江及其支流诺敏河、阿伦河、音河、雅鲁河、卓尔河、汤旺河，乌苏里江的西侧支流穆棱河和挠力河、绥芬河以及额尔古纳河的部分支流海拉尔河、乌尔逊河等均出现了洪水。第二松花江洪水也比正常年份偏大 。嫩江以及松花江各个支流洪水相继汇入干流，形成了松花江干流特大洪水。哈尔滨市是这次洪灾中受灾最为严重的一个城市。8月12日，哈尔滨实测洪峰流量为11 500 $m^3/s$，水位比起涨时上涨了4.14米，由于嫩江、松花江干流多处决口分洪，进行洪水归槽还原计算得出哈尔滨天然洪峰流量为16 200 $m^3/s$，是1898年以来的最大洪水。水位消退过程漫长，每天平均消落3.8 cm，约3个多月才回落到起涨时水位，其中有21天的流量大于10 000 $m^3/s$。

这场洪水在嫩江中下游以及松花江干流沿江两岸泛滥，黑龙江省大部分地区被水淹没，尤其是哈尔滨、巴彦、讷河、泰来、绥化、龙江、肇州、兰西等10个市(县)灾情严重。受灾面积约为1 267万$hm^2$，占耕地总面积的80%。最值得一说的是哈尔滨市，由于濒临松花江，受灾最为严重。洪峰到达之时，大堤相继溃决20余处。滔滔江水涌入市区，居民最集中的道外、道里两

哈尔滨中央大街被洪水淹没前后对比

区一片汪洋，被淹面积达 11 $km^2$，最大淹没水深 5 m 以上，只有居住在二楼以上的居民才可以暂且避难。全市被淹没的房屋面积达到 1 102.5 万 $m^2$。涌进市区的洪水量为 1 260.5 万 $m^3$，洪水消退很慢，哈尔滨被淹长达 1 月之久。全市 38 万居民中，有 23.8 万多人受灾，2 万多人丧生，12 万人颠沛流离。市区交通断绝，通往外地的各条铁路干线全部中断，铁路设施遭到严重破坏。据不完全统计，在这场洪水中，共冲毁铁路近 100 处，累计长度超过 20 km，冲毁桥梁 20 多座。

洪水暴发的时候，日本关东军侵占哈尔滨已有半年，江北呼兰县境内中国抗日军队还在和侵华日军作战。面对军民的抗日浪潮，日本关东军控制下的伪市政当局不可能对松花江洪患认真防范，使这场大洪灾带来的灾难更为严重。

通过这次洪灾，我们可以清楚地看到，松花江洪水一般涨、消缓慢，这种类型的洪水对我们现今防洪决策的制定有重要的参考价值。

## 24. 1933年黄河中游区间大暴雨引发大洪灾

1933 年的黄河洪水是陕县自 1919 年有实测记录以来最大的一场洪水。

当年 8 月初，黄河中游暴发了一场分布最广、降雨量最大的暴雨，雨区从托克托至陕县，几乎笼罩了整个广大的中游地区，降水大于 100 mm 的笼罩面积达到 11 万 $km^2$。前后出现过两次大面积暴雨，第一次雨区遍及整个黄河中游地区，中心呈斑状分布；第二次主要雨区分布在渭河上游和泾河中上游一带，其面积是黄河中游有实测资料以来最大的一次，而且强度很大。据调查，渭河中游支流散渡河“雨像提着水桶倒的一样”倾盆而注，葫芦河居民反映“该年下了三天三夜大雨”。有记载，当年“大雨如注，各河暴涨，洪水横流”。

灾民缺衣少粮，听天由命

暴雨呈西南向东北带状分布，雨区大体由西向东移动，基本与河道汇流的走向一致，这就使干支流洪峰相遇，形成陕县峰高量大的洪水过程，最大流量达 22 000 $m^3/s$，5 天洪量 51.8 亿 $m^3$，这是当地有记录以来的最大洪峰流量。

此外，这次洪水还呈现出与其他河流不同的特点。暴雨主要发生在黄河中游的多沙粗沙区，因此各中小支流挟带大量的泥沙进入黄河，输沙量大成为本次洪水的显著特点，陕县站测得 8 月份洪水输沙量达到了 27.8 亿 t。泥沙随着洪水进入下游，因决口泛滥，造成泥沙淤积，洪泛区洪水挟带泥沙

淤淀 0.6～2.5 m 厚度不等，使许多良田和村庄都成为荒漠沙地。

这场洪水，洪峰高洪水量大，造成了严重的灾难。灾害主要发生在两个地区——暴雨区和黄泛区。首先是在暴雨区，中游暴雨区内洪水横流，人畜漂没。受灾最为严重的地区当属陕西省，受灾县区占全省的 2/3。淹没面积约达 104 万 $hm^2$，受灾人口大概有 45.8 万，财产损失约有 66.4 万银元，受灾县区“淫雨成灾，平地水深数尺，暴涨泛滥，沿河与近山地多遭淹没”。其次就是黄河下游的黄泛区，是本次洪水的重灾区。洪水出了陕县，一路奔流而下，引起不少堤段溃决漫溢，冲毁交通路段和建筑无数，造成交通中断。凡洪水淹没之处，茫茫无际，只见房顶树梢露于水面，特别是在溃决口处，洪流倾泻，房塌树倒，人畜漂没，一片惨像。这场洪水在黄河下游总共决口 50 多处，据统计，陕西、河南、河北、山东、江苏等省有 65 个县受到不同程度的灾害，受灾人口 364 万，死亡 12 700 人，冲毁房屋 169 万间，淹没耕地 85.3 万 $hm^2$，损失牲畜 63 600 头，财产损失 2.07 亿银元。洪水所到之处，人们竞趋高埠，或蹲屋顶，或攀树枝，馁饿露宿；或被漂没，或为湮没，情况之惨，不可言状。

8 月 28 日，黄河水利委员会筹备处紧急召开冀、鲁、豫、皖、陕、苏 6 省黄河防汛会议，讨论防汛、救灾、抢险、堵口等事宜，9 月 4 日国民政府成立黄河水灾救济委员会，特派宋子文任委员会会长，并拨款 295 万银元用于工赈、灾赈，国内及侨胞还捐助 319 万银元，用于救灾。由于发生这次洪灾，促使黄河水利委员会于 9 月 1 日正式成立，并于 1934 年制定了“治理黄河工作纲要”，提出了以现代水利科学方法治理黄河的工作要点。黄河水利委员会在汛后至翌年汛前先后在黄河干流增设兰州、包头、龙门、潼关、秦厂、高村、陶城埠、利津 8 处水文站，在支流增设太寅、咸阳（渭河）、河津（汾河）、木滦店（沁河）、黑石关（伊洛河）5 处水文站，对以后的黄河防汛起到重要的作用。

# 25. 1935年长江中游区域性特大洪灾

1935年7月3—7日，在长江中游发生了一场区域性的特大洪水。此次大洪水由鄂西和湘西北山地东侧发生的特大暴雨引起，这是长江流域有雨量记录以来最大的一场暴雨，涉及长江中游澧水、清江、三峡地区下段小支流以及汉江中下游地区。

这场暴雨有南北两个中心，南部位于清江、澧水分水岭南侧山坡地带，五峰站实测5天累计降雨量1 281.8 mm，最大一天降雨量422.9 mm，3天降雨量达1 076.7 mm，即是著名的“35·7”暴雨，这场暴雨至今仍为长江流域的最高纪录。北部中心位于香溪河、黄柏河、沮河等中上游山坡地带，暴雨中心附近的兴山降雨量达1 084 mm。降水量大于200 mm的雨区笼罩了湘鄂豫及陕西省西北边缘，面积达11.94 $km^2$，有目击者说：“雨滴有拇指粗，人都吓得像木头一样！”人称之为“锥子雨”。

董庄堵口时主坝柳石枕合龙时下口溜形势

由于雨急量大，导致澧水、汉江中下游发生近百年来最大的洪水。根据调查推算，澧水下游的三江口站最大洪峰流量达31 100 $m^3/s$，洪水量72.8亿 $m^3$；清江下游搬鱼嘴站，最大洪峰流量达15 000 $m^3/s$，洪水量56.5亿 $m^3$；汉江干流丹江口站洪峰流量50 000 $m^3/s$，襄阳站洪峰流量53 000 $m^3/s$；长江上游干流宜昌站7月7日最大洪峰流量56 900 $m^3/s$；枝城洪峰流量达75 200 $m^3/s$，枝江最高水位达50.24 m。由于洪水，洞庭湖水系最大入湖流量达54 400 $m^3/s$，鄱阳湖水系赣、抚、信、饶诸河洪水都较大，鄱阳湖最大入湖流量达 34 140 $m^3/s$。

洪水泛入汉口大街

这次区域性大暴雨引发长江干流和湘、资、沅、澧四水并涨，荆江暴涨，倒灌洞庭湖，给长江中下游造成严重灾害。横店子、堆金台、德胜台以及麻布拐子先后决堤，洪水横扫汉北平原，光化以下 16 个县市一片汪洋，长江干流宜都至城陵矶河段水位超过 1931 年。荆江大堤溃决，荆州被水围困，江陵水灌全城，沙市、监利、沔阳、枝江、松滋、石首均成泽国；淹没耕地 150.9 万 $hm^2$，田禾牲畜，荡然无存，十室十空，骨肉离散，为状之惨，目不忍睹！受灾人口 1 003 万，死亡人口达 14.2 万，损坏房屋 40.6 万间。灾情最严重的是汉江中下游和澧水下游。汉江下游左岸遥堤溃决，一夜之间淹死 8 万余人，澧水下游慈利、石门以及沿江市镇淹死 3 万余人，损失和破坏多年难以恢复。

长江“35・7”大暴雨是我国大陆上强度最大的两场大面积暴雨之一，持续时间长、强度大，对研究我国暴雨极值有重要意义。

# 26. 1938 年人为酿成黄河 20 世纪最大洪灾

我国很多河流的洪水起因都是因为降雨量过大，或冰山融水等原因。但是，1938 年的黄河洪灾却起因于当时执政的国民党政府。

当年，腐败无能的国民党政府为了避免与日军直接作战，以及避免日军占领郑州，防止日军从平汉路直接进攻武汉，决定实施酝酿已久的扒开黄河大堤，以水阻敌的战略。蒋介石亲批“在中牟以北黄河堤岸选三个点掘开堤防，让河水在中牟、郑州间向东南泛滥，以阻止日寇西犯”的电令。自以为得计的国民党政府，却无法预料黄河水的汹涌来势，无法控制洪水的水量。汹涌的黄河水居高临下，一泻千里，奔腾澎湃，夺口而入，村庄、田地顷刻间荡然无存，汪洋一片，酿成的灾害更是无可计量。国民党政府“以水代兵”的愚蠢决策，人为地造成了黄河花园口、赵口大堤决口，成为 20 世纪黄河最大的一次水灾，且揭开了黄泛区长达 9 年的泛流苦难史。

当年，黄河泛水量大凶猛，所经过的河网水系都容纳不下，到处漫溢成灾，从西北到东南形成面积约 2.3 万 $km^2$ 的黄泛区。决堤后的黄河大水就如一匹脱缰的野马，完全失去了控制，洪水滔滔不绝地从花园口决口处涌出。滔滔洪水在把黄河平原沦为汪洋的同时，也把大量的泥沙带入了这片肥沃的土地。据国民党行政院善后救济总署报告：洪水波及豫、皖、苏 3 省 44 个县（市），其中河南 20 县，安徽 18 县，江苏 6 县。

泛区灾民背井离乡，涉水逃难

安徽省受到无情洪水的摧残最为严重。更令人悲叹的是，受战争的影响，花园口当年的决口直到9年后才合拢。其间，决口不断增加。这就是国民党政府给当地人民、给中国带来的深远而巨大的灾难，泛区人民“所受之牺牲，所遭之痛苦”，是抗战军民中最大而且最凄惨的。

长达9年的浩劫，给黄泛区造成了巨大的人员和经济损失。洪水泛滥期间，村庄被毁，农田被淹，黄泛区人口急剧减少。据不完全统计，泛区三省，共有95万人死于洪水，其中河南32万人，安徽47万人，江苏16万人。在一些灾情严重的地区，死亡率竟高达26%。黄泛区遍及豫、皖、苏44个县5.4万 $km^2$，淹没耕地133万 $hm^2$ 以上，共有1 250万人受灾，直接经济损失高达9.5亿银元。在长时期巨灾之后，当地农民被迫逃离家园，另谋生路，近400万人离开了祖祖辈辈生活的地方，占当地人口的20%。

如此悲惨的灾难，实属“人祸”而非“天灾”！房屋的淹没、田地的损毁、人口的死亡与流亡、经济的重大损失……还有，那些在灾难中失去了一切的灾民们，有些在拼命逃难的路上冻饿而死，却无人问津。悲惨之景难以想像，让人闻之揪心。对于这一切的灾难，无疑都要追究国民党政府的责任。这样的漠然，这样的置百姓的生命于不顾，实在是一个无能政府荒唐的举动。

1938年的黄河洪灾是一场人为灾难。历史虽然已经一去不返，但造成这场巨大灾难的罪人，应该被永远钉在耻辱柱上！

# 27·1939年海河北系20世纪最大洪水破天津

洪水中被淹的灾民

1939年由于暴雨引发了海河流域南北各系，特别是北系的特大洪水。此次洪水将天津城推到了生死存亡的边缘，加上日军侵略，灾情惨不忍睹。

当年夏季，西太平洋低纬度热带系统异常活跃，生成的热带气旋偏多，台风频频登陆北上，使得海河7、8月份连续降雨多达三四十天，还出现若干次较大的暴雨，历时长、次数多、范围广、强度大。暴雨中心比较稳定，始终在大清河、永定河、北运河流域徘徊。昌平7月、8月两月总降水量1 137 mm，为北京一带有实测资料以来的最高记录。暴雨使海河流域从南到北各河系均多次暴发洪水，海河北系更是发生特大洪水。

海河水系发大水，天津城最遭殃。天津位于华北平原的东北部，东临渤海，北枕燕山。从南到北原有漳卫南运河、子牙河、大清河、永定河、北运河、潮白河、蓟运河汇聚海河，横穿天津城区，直奔渤海，加上黑龙港、中亭河等平原河道，故素有“天津地处九河下梢”之说。暴雨使海河流域五大水系普遍涨水，8月初大量洪水汇集于天津市西南的东淀、文安洼、贾口洼，积水连成一片，威迫天津市，8月4日洪水在杨柳青附近涌入天津。洪水进入市内20多天，市内70%～80%的地区被淹没，水深1～2 m，最深达到2.4 m。受

灾人口 80 万，倒塌房屋 1.4 万间，经济损失 6 亿多元。

这场洪水是全流域性的大洪水，海河五大水系及滦河流域普遍发生较大洪水。总的来看，这场洪水中以大清河水量最大，占到 30%，潮白河、蓟运河以及北运河占到 23%，子牙河占 22%，漳卫河占 15%，永定河占 10%。洪水使五大支流下游河道决口 79 处，扒口分洪 7 处，造成广大平原区严重的洪涝灾害，洪水的淹没面积达到了 49 400 km$^2$，受灾农田 391.2 万 hm$^2$，被淹村庄 12 700 个，被淹房屋 150 多万间，灾民 1 200 多万，死伤人口 2.9 万，大量的铁路桥梁、公路被冲毁，经济损失达 11.69 亿银元。

天津城内洪水泛滥

水破天津既有自然因素，又有人为的原因。当时海河流域没有任何大型的水利工程可抵御洪水侵袭，“九河下梢”、“上大下小”的地形和洪水入海的不畅，使海河在洪水泛滥时天津不可避免地遭到重灾。虽然，天津西侧外围有 3 个大洼淀（俗称西三洼）可以调蓄一时无法下泄的洪水，但是又使得各河先后上涨之洪水调蓄在一起而相互遭遇，增加了天津外围洪水的威胁。同时，天津发大水期间，正值日本侵略军霸占天津之际，天津政府面对来势汹涌的洪水束手无策。在洪水即将淹没天津之前，虽然侵华日本天津防卫司令部协同天津特别市政府当局组成了“防洪委员会”，但却只是制定了“全力以赴，不惜牺牲全力保卫天津”等三项虚张声势的空纸决议，并没有采取有效的措施，致使洪水依旧肆虐到来，百姓遭殃，生灵涂炭。

1939 年海河流域北系大洪水是 20 世纪该区域最大的一次洪水。倘若历史灾难重现，势必会造成下游防洪局势的紧张，因此在防洪工作中对该区域应当特别引起重视。

# 28. 1948 年哥伦比亚河大洪水吞没了万波特城

哥伦比亚河是北美洲西部大河之一，源出加拿大南部落基山脉，向西南流经美国，注入太平洋，全长 2 044 km，流域面积 415 211 $km^2$，最大支流斯内克河。河口平均流量 7 400 $m^3/s$，干、支流可通航里程约 1 000 km，大洋海轮可直达河口以上 150 km 的波特兰。该河水力资源丰富，沿干、支流建有很多大小水坝，用于灌溉和发电。大古力水坝最为著名，水库长达 233 km，用以灌溉、发电，电站发电能力 196 万 kW，主要为炼铝、造船、原子能联合工厂等与军事有关的工业服务。哥伦比亚河水量大，河口年平均流量达 7 860 $m^3/s$。水位季节变化小，春季有冰雪融水补给时较高，冬季较低。河流含沙量小，河谷比降大，基岩抗蚀性强，很有利于兴建水利工程，估计水力储量达4 000～5 000 万 kW，是世界上水力资源最丰富的河流之一。在河口处，海潮可上溯 220 km。

洪水淹没时的情景

1948 年 5 月至 6 月，哥伦比亚河发生了 20 世纪以来最大的洪水灾害。当年哥伦比亚河的洪水是由积雪融水和降雨共同作用而形成的。

当时，附近山脉的气温低于正常的温度，而使得其积雪不能像往年那样融化。当气候变得温暖，加上 3 天

连续的雨水冲刷，使得山上的积雪变成了大量的积水，最终形成了洪水，淹没了哥伦比亚河流域。

偌大的哥伦比亚河奔腾汹涌，冲毁了堤岸，在华盛顿州汉弗德决口处，汹涌的洪水很快就吞噬了华盛顿州。哥伦比亚的洪水以 28 316.8 $m^3/s$ 的流量涌入俄勒冈州的万波特城。当时的居民们除了身上的衣服外，别无他物，四处逃身。由于靠近铁路的一条堤坝决口，无法靠此疏散灾民，所以，城市的 19 000 名居民只能依靠汽车、自行车或徒步的方式从受灾区逃离出去。汹涌的洪水几分钟内便将整个城市浸泡在 4 m 多深的大水之中。

面对如此大的洪灾，当地机械化部队的几千名军人和几千名老百姓日日夜夜地奋战在用沙包修建的临时堤坝上，终于将俄勒冈州的万波特城从混沌的洪水中解救了出来。红十字会也在华盛顿和俄勒冈投放了 300 万美元的救援食品，受灾地区慢慢地重建起自己的家园。

强大的洪水可以淹没一个城市，然而，坚强的人类一定能从洪水中解救自己的家园！人类在灾难的特殊时期，精神上总能显示出最坚强的一面。

# 29. 1949年黄河中下游大洪水

1949年对于中国来说是一个洪水大年，这一年，珠江、长江、黄河都发生了大水。南北并灾，灾情严重。

当年黄河流域降水量偏多，就在珠江和长江遭到重灾的同时，7月份，黄河流域在山西、陕西区间的降雨，以及在9月份泾、洛、渭河的降雨，使得下游花园口连续出现了多次洪水过程。据观测记录显示，花园口洪水9月11日起涨水，至22日历时13天，其中洪水流量在10 000 $m^3/s$以上的持续时间达49小时，流量在5 000 $m^3/s$以上的持续时间达半月之久。自1934年黄河开始有观测记录以来，最大7天洪量1958年为60.9亿$m^3$居首位，1949年次之；最大15天总洪量1949年则居为第一，约50年一遇。在这一年的黄河大洪水中，花园口处大堤偎水长达40多天，而且洪水总量大。东坝头以下全部漫滩，沿河出现漏洞806处，堤坝出险1 465处，堤坝渗透蛰陷5.5 km，险像环生，形势十分紧张。

黄河大水涌来，刚获得解放的平原、河南、山东三省军民，面对破败不堪的江河堤坝奋力抗洪。刚刚成立的中原、华北、华东三大解放区的联合治黄机构——黄河水利委员会，在平原、河南、山东三省党政军民的大力支持下，组织了40万人的抗洪抢险大军，夜以继日地战斗在堤防线上。经过40个日日夜夜的英勇战斗，终于战胜了洪

黄河修防工人齐心合力把柳石枕推下水

经过数十万军民一个多月的英勇奋战，终于战胜了黄河归故河后的首次较大洪水，洪水平静地向东流去

水，最大限度地减少了灾害损失。抗洪期间，为了顾全大局，平原省主动扒开了寿张县（今属山东省阳谷县）严善民埝张庄段，随后寿张县枣包楼及南岸梁山大陆庄两地民埝也相继溃决，洪水分别进入北金堤与临黄堤之间，起到了滞洪削峰的作用，减轻了位山以下堤防的负担。

但由于黄河堤坝工程薄弱，抗洪能力很低——当时，黄河刚刚结束了 9 年的南徙夺淮，在 1947 年回归故道，但是几经战乱的毁坏，故道、堤防残破不全，抗洪能力十分差，堤身隐患暴露，出现漏洞多处，坝埽还出现多处坍塌，千里堤线随处都有可能溃决，所以黄河大水仍然酿成了巨大灾害。据史料记载，9 月洪水导致河南兰考县东坝头以下全部漫滩，洪水拍岸盈堤，一般堤顶出水高度 1 m 左右；平原省总计淹没村庄 2 050 个，受灾人口约 79 万人，灾情严重的约占 1/2，还有 1/3～1/2 的房屋倒塌，灾情颇为严重。

# 30. 1949年西江百年罕见大洪水

1949年，珠江流域的西江干流发生了百年罕见的特大洪水。当年6月下旬，西江流域连续出现大雨和暴雨，降雨大约持续了9天时间。暴雨在6月22—23日以及27—30日两个时段比较集中。在前一个时段里，暴雨区集中分布在柳江，左、右江以及红水河中下游。在后一个时段雨区出现了南北移动——27日、28日雨区向北部移动，暴雨笼罩了柳江和桂江流域；29日、30日暴雨又向南移至红水河、右江流域。在降雨的整个过程中，各干支流的日降雨量基本都超过了100 mm，降雨量大于200 mm的地区主要是在桂江、柳江、红水河一带的流域，暴雨集中在柳江上游的融江、洛清江以及桂江流域。有些地区的降雨量甚至超过了500 mm。

大水中肇庆电厂前一片汪洋

强大的暴雨量，使得西江上游干流的红水河以及支流的柳江、郁江、桂江的水位不断地上涨，普遍都发生了特大洪水，柳江和红水河还出现洪水双峰的过程。这一次的洪水峰高量大，其中，西江干流梧州站所在地的洪水6月23日开始起涨，7月5日出现最高水位25.55 m，出现48 900 $m^3/s$特大洪峰，是几乎50年才能遇到的一次水情。洪水主峰段峰型平缓，流量超过46 000 $m^3/s$的历时达7天，流量超过40 000 $m^3/s$的历时11天。据统计，当时30天的洪量达到了884亿$m^3$。

**1949 年西江干支流主要站洪水峰、量表**

| 河流 | 站名 | 集水面积(km²) | 洪峰 | | | 时段洪量(亿 m³) | | | |
|---|---|---|---|---|---|---|---|---|---|
| | | | 流量(m³/s) | 日期(月.日) | 重现期(年) | 3 天 | 7 天 | 15 天 | 30 天 |
| 红河 | 都安 | 119 245 | 15 100 | 7.1 | 约 10 | 33.5 | 70.30 | 125.1 | 202.4 |
| 红河 | 迁江 | 128 165 | 18 300 | 7 | 10 | | | | |
| 柳江 | 柳州 | 45 785 | 27 300 | 6.30 | 30 | 64.5 | 115.10 | 161.1 | 236.6 |
| 黔江 | 武宣 | 196 255 | 45 600 | 7 | 30 | 115.9 | 244.20 | 400.6 | 598.8 |
| 郁江 | 南宁 | 75 520 | 9 240 | 7.3 | 一般洪水 | 21.9 | 44.10 | 62.30 | 88.6 |
| 浔江 | 大湟江口(东塔) | 290 760 | 44 900 | 7.3 | 约 40 | 115 | 259.00 | 470 | 715 |
| 桂江 | 昭平 | 14 965 | 10 700 | 6.29 | 5～10 | 24.9 | 37.00 | 46.8 | 75 |
| 西江 | 梧州 | 329 705 | 48 900 | 7.5 | 50 | 125.8 | 290.30 | 564 | 884 |

大量的降水带来大量的洪水，进而造成巨大洪灾。这次暴雨洪水造成的严重水灾主要集中在西江流域和珠江三角洲。据统计，两广地区淹没农田大概达到 39.3 万 hm²，灾民 370 万人。其中广西受灾 30 余县，灾民 230 万人，淹没农田 22.7 万 hm²。浔江河段的桂平、平南、藤县、苍梧 4 县受灾最为严重，5.9 万 hm² 农田尽被洪水淹没，桂平一带房屋田亩尽葬于洪水之下。另外，梧州市、柳州市、南宁市、桂林市部分地区（主要是山洪暴发），同样受到程度不一的灾难。洪水淹没了房屋，平房不可见顶，交通被迫中断，在市内只能用船作交通工具。广州地区的灾情同样也很严重，据估计有 7 万人被大水淹死。根据珠江水利局统计，整个珠江三角洲地区受灾面积达 16.7 万 hm²，灾民 140 多万人。

洪水吞没了民房

1949 年西江的大洪水百年罕见——水量大，灾难亦大！而且，1949 年黄河、长江等地同样发生灾情严重的大洪水。几大流域同时遭遇洪灾，给新中国造成了严重灾难。

## 31. 1950年淮河大洪水拉开治淮序幕

兴建石漫滩水库，民工们在炎热的阳光下开凿洪道

1950年，正当新中国刚刚建立，百废待兴之时，淮河水系出现了建国后第一个洪水年。跟以往洪灾类似，这次洪水主要由淮河上中游的暴雨引发。

淮河地处长江与黄河两大流域之间，由于历史上黄河夺淮长达几百年，给淮河流域带来了灾难性的变化。淮河入海故道被淤塞，被迫改从洪泽湖东南角的三河夺路南下，经高邮湖入长江。至1855年，淮河基本形成了目前这样平缓的中游河道比降，但洪泽湖湖底的淤高，使浮山以下的河道成了倒比降。中游沿淮两岸也出现了一连串的湖泊洼地，成为洪水调蓄的场所。淮河洪水出路不畅，洪涝灾害频繁，成为世界闻名的害河。

1950年6月中上旬，淮河流域干旱少雨，6月下旬突然降雨，人们喜形于色，各家报纸也竞相报道淮逢甘霖的喜讯。然而出乎人们意料的是雨越下越大，凶猛如注，下个不停，从6月25日至7月20日这一期间出现3次阶段性暴雨：第一次暴雨雨区在淮河中上游以及徐淮地区；第二次暴雨雨区在淮河中上游干流两岸，洪汝河及淮南山区；第三次暴雨雨区在皖北、苏北等地区。这三次暴雨引发了淮河中上游洪水。

6月29日淮河开始涨水，接着汝河、白露河、大洪河、小洪河等上游支流洪水汇入淮河干流，洪峰叠加，浩荡奔腾。干流正阳关7月18日出现最高水位24.91 m，对应洪峰流量12 770 $m^3/s$，60天洪量为222亿$m^3$。蚌埠最高水位21.15 m(7月24日)，对应洪峰流量8 900 $m^3/s$。淮河干流洪水直至10

洪水淹没了农田、村舍

月上旬才退尽，历时超过 3 个月。

这次洪水在洪泽湖以上沿淮河干流决口 10 余处，蚌埠以上地区阜南、阜阳、临泉、颍上、太和、凤台、怀远等地一片汪洋，渺无边际。安河决口 9 处，灵璧、泗洪一带被大水淹没。正阳关至三河尖水面东西长 100 km，南北宽 20～40 km，一望无际，近河村庄仅见树梢。正阳关以下至怀远，除淮南八里山矿区 7 km 的堤防外，无完整堤圈。7 月 20 日蚌埠以下方邱湖堤上的玻璃涵闸溃决，洪水从背后涌入蚌埠市区；21 日洪水倒灌花园湖；23 日相浮段柳沟闸溃决，此后五河漠河口附近漫堤多处。这样，蚌埠至五河不分河与道，大水连成一片。淮河中游沿岸及淮北广大地区几乎沉陷沦为泽国。据统计，淮河流域成灾面积 3.13 万 $km^2$，受灾人口 1 300 余万，近千人死亡，倒塌房屋 89 万间。在淮阴城，有一位目击者曾这样形容当时大运河沿岸的城市："一片汪洋，远伸到地平线以外。"

面对洪水浩劫，华东军政委员会大力开展抗洪救灾工作，在紧急调运 1 150 万 kg 粮食到灾区的同时，全力开展生产自救。毛泽东主席和周恩来总理对此次洪灾十分关注，多次下达指示要求全力救灾。从此，"一定要把淮河修好"的声音回荡在辽阔的淮河两岸。

1950 年淮河大水后，新生的人民政府做出了治理淮河的决定，全面开展了新中国大规模治淮工程建设。为使淮河洪水得到妥善安排，提出了"蓄泄兼筹"的治淮方针，即在上游修建水库拦蓄洪水；下游开辟入海水道，整治入江水道，以利宣泄洪水；在中游一方面利用湖泊洼地拦蓄干支流洪水，另一方面整治河槽以承泄拦蓄以外的全部洪水。

# 32. 1951年三日暴雨引发辽河百年最大洪水

1951年8月13至15日，受气旋冷锋影响，在辽河支流清河流域的西丰、开原，以及吉林的东辽河上游和辉发河上游一带出现了一场大的降雨过程，造成上述地区洪水暴涨。辽河干流铁岭站洪峰流量达14 200 $m^3/s$，为调查和实测期内最大洪水，其重现期约为120年。

由于太平洋副热带高压位置偏西偏北且稳定少动，阻挡了西风槽的东移，气旋冷锋移动缓慢并停滞，与副高西北侧的暖湿气流在本区强烈交织而形成本次大暴雨。暴雨发生在8月13—15日，历时3天，降雨集中在14日1—13时和15日22时—16日10时两个时段。雨区位于东、西辽河下游控制站三江口、郑家屯至铁岭区间，3天雨量在150 mm以上的笼罩面积2.33万 $km^2$；开原站实测最大24小时雨量为273.1 mm，3天降雨量350.7 mm。通江口至铁岭区间8 608 $km^2$ 面积上平均雨量279 mm。暴雨造成辽河、柳河、浑河相继出现大洪水，而且峰高量大，来势凶猛。

暴雨区各河流几乎同时出现洪峰。支流清河开原站集水面积4 668 $km^2$，洪峰流量12 300 $m^3/s$，汇入辽河干流以后，铁岭站洪峰流量达14 200 $m^3/s$，均为1856年以来的最大洪水，其重现期约为120年。东辽河洪水主要发生在二龙山水库以上地区，二龙山水库还原洪峰流量为3 190 $m^3/s$。

决口后庄稼被淹没

这次洪水，辽宁省北部、吉林省东南部以及辽河干流、浑河、太子河中下游广大地区遭受几十年来少有的洪涝灾害。洪水发生时正值新中国成立初期，暴雨区内现有的南城子、清河、柴河、榛子岭4座大型水库及22座中小型水库当时均未兴建；辽河大堤防洪标准很低，洪水一过铁岭就决堤，因而造成的灾害十分惨重。清河、冠河山洪暴发，沿河村庄被席卷一空，西丰、开原县城一片汪洋。辽河干流铁岭站不到一天水位涨了 4 m，洪水致使辽河主要流域决堤 419 处，仅辽河干流巨流河以上就决口 42 处，巨流河以下辽河大堤全部溃决，沿河两岸受灾严重。

房屋被淹

由于洪水猛涨，两岸居民猝不及防。15 日洪峰到达沈阳市北郊，17 日过巨流河铁路桥到达新民县，23 日到达下游三岔河，并与浑河、太子河洪水部分汇合。洪水灾害涉及西丰、开原、铁岭、新民、辽中、台安、盘山和营口等 33 个市(县)，农田受灾面积 37.6 万 $hm^2$，房屋倒塌 14.5 万间，两岸农田减产 14.8 万 t，超过该地区平均产量的一半。沈山、长大线铁路桥和路基被冲断多处，铁路运输中断 40 余天，直接经济损失 15 亿元以上。这场洪水在辽河上游、第二松花江上游的辉发河同样也造成严重灾害。吉林省通化、海龙、辽源、怀德 4 个市(县)淹没农田 2.3 万 $hm^2$，受灾人口近 5 万，死亡 16 人，毁坏房屋 5.5 万间，冲坏桥梁 22 座。据不完全统计，当时辽东、辽西两省有 31 个县市受灾，灾民达 121 万，死亡 3 100 余人。

## 33. 1953 年第二松花江百年一遇大洪水

1953 年，第二松花江继 1856 年特大洪水之后，在相同的地区再次暴发了特大洪水，两次暴雨洪水的特征非常相似。是偶然还是必然？成为许多水利研究者关注的问题。

1953 年 8 月中旬末，由于受到台风的影响，在辽宁、吉林两省，长白山余脉的龙岗山、吉林哈达岭和大黑山的西侧，发生了一场范围较广的大暴雨。雨区位于长白山山区向松辽平原过渡的低山丘陵地区，暴雨中心在辽宁省西丰县的凉水泉子村，最大日雨量 273.7 mm(19 日)。雨区大体呈现出东西走向的态势，辽河中下游、第二松花江中上游以及牡丹江、图们江上游地区都被特大暴雨笼罩着。据记载，日雨量在 100 mm 以上的地区约达到 10 万 $km^2$。

**1953 年 8 月第二松花江主要站洪峰流量表**

| 水系 | 河名 | 站名 | 集水面积($km^2$) | 洪峰流量($m^3/s$) | 重现期(年) | 时段洪量(亿 $m^3$) | | |
|---|---|---|---|---|---|---|---|---|
| | | | | | | 1天 | 3天 | 7天 |
| 饮马河 | 岔路河 | 星星哨水库 | 850 | 1 300 | 约 50 | 0.694 | 1.16 | 1.53 |
| | 饮马河 | 烟筒山 | 1 127 | 1 520 | 约 50 | 0.77 | 1.11 | 1.4 |
| | 饮马河 | 孙家湾(石头口门) | 4 976 | 2 740 | 40 | 2.08 | 3.75 | 4.67 |
| 第二松花江 | 辉发河 | 五道沟 | 12 391 | 7 120 | 约 100 | | 15.2 | 17.7 |
| | 第二松花江 | 红石砬子 | 19 946 | 4 440 | 一般洪水 | | 10.15 | 15.08 |
| | 第二松花江 | 丰满水库 | 42 693 | 15 100 | 约 100 | 14.8 | 32.9 | 49.4 |
| 松花江 | 松花江 | 哈尔滨 | 389 169 | 9 530 | 约 15 | | | |

这场特大暴雨使第二松花江暴发了约百年一遇的特大洪水。丰满水库最大入库流量达到了 19 600 $m^3/s$，等量换算至坝址洪峰流量为 15 100 $m^3/s$，接近于约 100 年前的(1856 年)最大洪水的年洪峰流量(15 300 $m^3/s$)。松花江干流也发生了大约 15 年一遇的较大洪水，哈尔滨站洪峰流量达到了 9 530 $m^3/s$。

来势凶猛的洪水使辽、吉两省的永吉、盘石、伊通等 27 个县市遭受到了不同程度的灾害，受灾面积达到 34.9 万 $hm^2$，其中减产七成以上的 6.9 万 $hm^2$，8 475 间房屋被冲毁，267 万人受灾，27 人死亡。就连有一定抵御作用的丰满水库以下沿江两岸也没有幸免，堤防决口 404 处，7.5 万 $hm^2$ 的土地被淹没，绝产 5 万 $hm^2$，14.4 万人口受灾，1 814 间房屋被冲毁。

庄稼被淹

1953 年第二松花江大洪水是 1856 年以来的第二大洪水，时隔约 100 年，同地发生情况类似的大洪水，的确值得我们关注。

## 34. 1954年江、淮、黄、海并发洪灾

1954年，长江、淮河同时暴发了20世纪最大的暴雨洪水。黄河、海河也引发洪灾，南北洪水并发，灾情空前。

1954年的长江出现了历史上罕见的全流域性的特大洪水。这一年气候极其反常，长江中下游地区梅雨天气比正常年份延长了近一个月，而且覆盖面积也大于往常。鄱阳湖、洞庭湖水系水位迅速上涨，随后长江中游干流和支流河段水位开始上涨，6月末各地区险情不断地出现，抗洪抢险开始进入紧张的阶段。

长江流域的这次洪水洪峰流量高，洪水总量大，且在干支流洪水发生遭遇，致使长江中下游干流高水位持续时间长。水位高涨，汪洋一片，就在这危急时刻，建国后修建的一系列水利工程和分洪区发挥了重要的作用。在生死存亡的关键时刻，荆江分洪工程和加固过的大堤在这场特大洪水中发挥了巨大的作用。但面对全流域的特大洪水，仍出现多处决口，洪水从四面八方涌入江淮平原，广袤无垠的大地顷刻变成汪洋大海，只有少数城市、丘陵漂浮在水面，成了水中孤岛。在这次洪水中，安徽省华阳河地区分洪，无为大堤溃决，淹没耕地34.3万 $hm^2$，受灾人口达290万；堤防圩垸溃决、扒

洪水过后人机结合加修堤防

淮河峡口附近水势鸟瞰图

口，淹没耕地约166.7万 $hm^2$，受灾人口达1 800余万。长江中下游湖北、湖南、安徽、江苏5省共有123个县市受灾，洪涝灾害农田面积317余万 $hm^2$。重要交通路线京广铁路因此中断了100天，南北交通受阻。

这场暴雨洪水同样袭击了淮河流域，其特点类似于淮河1931年全流域性特大洪水。7月，西太平洋副热带高压脊线偏南，冷暖气流长时间维持在江淮上空交绥，出现了5次大范围的降雨过程，造成淮河水系特大洪水。淮河干、支流自新中国成立后至1954年，已进行了初步治理，修建了石漫滩、板桥等水库，使其充分发挥了拦洪削峰的作用，淮河中游蓄洪区起到不同程度的分洪蓄洪作用。但是洪水还是使这一年全流域成灾面积达408.2万 $hm^2$，安徽省灾情最重，成灾面积为174.7万 $hm^2$，河南、江苏成灾面积均为102.7万 $hm^2$ 左右，山东省灾情较轻。

江、淮暴雨于8月初北移到黄河流域，使黄河三门峡至花园口区间降大暴雨，花园口8月5日出现15 000 $m^3/s$ 洪峰流量，这是该站自新中国成立6年以来所遇到的最大洪水。黄河与大汶河并涨，东平湖区湖堤仅高出水面0.5 m左右，多处出现险情，损失较为严重。

海河流域从6月到9月近80天阴雨连绵，潮白、蓟运、大清、子牙、南运各河先后发生洪水，虽然洪峰流量不是很大，但持续时间长，总水量大，造成多处决口引发灾害。大清、子牙、漳卫、南运河7、8月两月径流总量为158.8亿 $m^3$，海、滦河水系总水量为243.7亿 $m^3$，各河上游多处决口。海河大清河新盖房分洪工程也发挥了分泄洪水的作用，避免了像1939年洪水冲垮白洋淀千里长堤的严重后果。

## 35. 1955 年黄河冰凌决口

据历史文献记载，自周定王五年(公元前 602 年)至 1938 年的 2 540 年中，黄河在下游决口达 543 次，平均约 4 年半一次。1955 年，黄河下游发生凌汛，大堤决口。

黄河的凌情十分复杂，主要源于黄河特殊的地理位置、河道的形态、气温以及河水流量大小不同等诸多因素。黄河的下游河道是呈低纬度向高纬度趋势走向的，纬度差使得上游的水温要高于下游，封河冰层上薄下厚，而开河是自上而下，当上游开河解冻的时候，下游仍处于封冻状态。另外，黄河的下游河道上宽下窄，上大下小，黄河在河南段是游荡型的宽浅河道，山东段是弯曲型的窄深河道，冬季一些狭窄河段容易形成卡冰结坝的现象，一旦形成冰坝壅水，其水位往往超过汛期的最高水位。

冰坝危及堤坝

1954 年冬季温度较常年偏低，冷得较早，并且在年末经受了两次寒流的侵袭，使得河口较常年提早 20 多天封河，封冻全长达 623 km，是常年的 1.7 倍，总冰量是常年的 2.5 倍。待到 1 月气温回升，自上而下水鼓冰开，沿程凌峰流量增加，是常年的 3 倍。当凌峰到达利津王庄险工下首时，由于气温低，冰厚质坚，加上河段的狭窄，上游大量的来冰卡塞，形成了冰坝，堵塞的冰凌迅速向上延伸，全长 24 km，冰量约 1 200 万 $m^3$，冰坝形成后壅水位急剧上升，利津站最快每小时水位上涨 0.9 m，利津河段水位上升，离堤顶仅 0.5～1 m，局部河段水位与堤顶平，形势十分危急。

在这十分危急的时刻，相关部门采取了人工爆破的措施，用大炮、飞机轰炸冰坝，但终究抵挡不住大量的冻冰和坚固的冰坝。王庄至王旺庄河段堤防出现 20 多处漏洞，刘家夹河、张家滩背河多处冒水，佛头寺堤身严重坍塌。在此险情下，经中共山东省委批准，12 月 29 日 19 时在垦利县小街子开溢水堰围堤分水，但是由于挖掘爆破困难，到 21 时才破出 60 m。21 时许，利津县五庄附近背河柳荫地多处冒水，晚上又骤刮七级大风，照明困难、取土困难，而使得抢险人员紧急堵塞无效，五庄堤身于当晚 23 时溃决。另外，在五庄下游 2 km 处堤顶塌陷后发生溃决。五庄决口致使利津、滨县、沾化 3 县 435 个村庄、20.47 万人遭受灾难，5.87 万 $hm^2$ 的田地被淹没，5 355 间房屋倒塌，80 人死亡。这是新中国成立以来黄河在凌汛期的第二次大堤决口严重事件。

冰水冲毁房屋

目前，黄河下游在三门峡、小浪底水库运用后，已经初步建成了防洪工程体系，为防凌创造了宏观调控的有利条件。但是，三门峡、小浪底水库距离下游易出现凌险的地段较远，不易运用水库控制险情，再加上黄河特殊的地理环境，冬季气温变化多端，凌汛形成的时间、地点无规律可循，预报难度大，所以，对于黄河冰凌的严重威胁绝对不能忽视！

# 36. 1957年松花江"邪乎的"大洪水

1956年和1957年，松花江流域连续两年发生大洪水。这两年洪水的形成都与台风有关。

1956年8月上旬，第二松花江、拉林河、牡丹江等流域发生大暴雨引发洪灾。就在人们刚从这场洪水劫难中逃脱、余悸未消的时候，1957年7月和8月，流域内大部分地区一直阴雨连绵，最多降雨日达到了45天。嫩江下游西侧支流和第二松花江流域、牡丹江流域是主要的降雨区，该次降雨的主要特点是降雨持续时间长，次数多，其间多处多次出现大雨和暴雨，流域内主要干支流均出现了大洪水和特大洪水。

嫩江各支流7月下旬先后开始涨水，8月初雅鲁江、卓尔河等先后出现洪峰。第二松花江上游丰满水库8月22日最大入库流量达16 000 $m^3/s$，略小于1953年的特大洪水（17 200 $m^3/s$），24日最大出库流量6 000 $m^3/s$。暴雨带来洪水，使第二松花江上游、嫩江支流雅鲁河、卓尔河均出现20～50年一遇的大洪水。此次洪水比较尖瘦，松花江干流哈尔滨站9月6日洪峰流量达到了12 200 $m^3/s$，最高水位达120.3 m。整个洪水过程历时128天。该次洪水60天洪水总量为374亿$m^3$。与此同时，相邻的拉林河也出现了洪峰。

抗洪大军排成一道人墙抵御江水

1957年洪水灾情遍及黑龙江东南部、吉林全省、内蒙古的呼盟及兴安盟地区。第二松花江、松花江干流、嫩江、图们江流域是洪灾的重灾区。辽河干流、东辽河、西辽河、鸭绿江等水系也有不同程度的灾情。

据有关部门统计，当年水灾面积达 93 万 $hm^2$，粮食减产 12 亿 kg，受灾人口 370 万，死亡 75 人。其中：吉林省受灾面积 25.2 万 $hm^2$，受灾人口 70.1 万，直接经济损失 8.2 亿元；黑龙江省受灾面积 17.7 万 $hm^2$，受灾人口 84.7 万，冲毁水库 1 座、涵洞 422 座、堤防 235.3 km，还冲毁了公路 183.4 km，铁路交通中断 834 小时，直接经济损失达 14.35 亿元。这场洪水也被当地的一些老人们称为“邪乎的大水”，甚至就连专家也承认其水情的复杂。这场以上涨速度猛、高水位持续时间长、反复“拉锯”、风多浪大为特点的洪水，使得哈尔滨市 150 万人口不得不展开一场惊心动魄的家园保卫战。

每天出动 10 多万人投入抢险筑堤

政府和百姓们都纷纷作出自己的努力来保卫家园。8 月下旬，省防汛指挥部紧急恢复了 1956 年的组织机构，领导防汛工作；市政府积极采取各种抗洪措施，扩堤固坝；为支援哈尔滨市的抗洪斗争，紧急从绥化、阿城、王常等县调动 9 000 多民工来哈尔滨抗洪；民航出动三架飞机帮助空投食物和物资；苏联阿穆尔江（黑龙江）航运管理局先后派出 4 批船只帮助救灾；不少百姓用自己的身体组成人墙来挡住狂风巨浪对脱坡漏洞的冲打，用自己的身躯堵住正在塌落的堤坝和漏洞……为了保卫家园，为了把受灾程度降至最低限度，政府做出积极努力，百姓更是奋勇抗战，齐心协力，众志成城。经过一个多月的持续努力战斗，终于战胜了这场特大的洪水。这场令人惊心动魄的哈尔滨保卫战，深深地铭刻在人们的心中！

# 37. 1958年黄河"下大型"特大洪水

1958年进入汛期后，黄河流域连续降雨，引发大洪水，这场洪水主要是由三门峡至花园口区降雨形成，是典型的"下大型洪水"，具有水位高、水量大、来势猛、含沙量小、持续时间长的特点。

当年7、8月间花园口站出现了5 000 $m^3/s$以上的洪峰13次，其中最大的为7月17日24时，该站洪峰流量达22 300 $m^3/s$，相应水位为94.42 m，这是该站有水文观测以来的最大洪水。

这场洪水除东坝头以上老滩外，滩地普遍漫水，尤其是东坝头以下，洪水迫岸盈堤，各段超过防水位历时35～80小时。黄河堤防和东平湖围堤都呈现出十分严峻的险恶局面，经大力抢险才保住大堤安全，使洪水灾害主要限制在黄河大堤之间的滩区。京广线黄河铁路大桥被冲垮2孔，交通中断14天。据不完全统计，沿河出现险情1 998次，堤防发生渗水59.96 km，塌坡23.88 km，裂缝1 392 m，管涌4 312个，抢堵大漏洞18处，有的险工坝头被洪水漫顶，有的出水只有几分米。下游滩区和东平湖区淹没耕地20.32万 $hm^2$，受灾74.08万人，死亡4人，洪水淹没了滩区村庄1 708个，受灾74.08万人，淹没耕地20.3万 $hm^2$，房屋倒塌约30万间。从总体来看，洪灾带来的损失较之以往是相对小的。

水中抢险

7月17日24时，花园口站洪水水位达到94.42 m，测算流量为21 000 $m^3/s$（上述22 300 $m^3/s$为改编后流量），从18日早晨开始，花园口水位开始回落，雨势也相应减弱。战胜这次洪水，技术人员的科

现场抢险堵漏情景

学预测和党中央领导的科学决策起到了十分关键的作用。当时花园口流量达 22 300 $m^3/s$，按规定应启用北金堤滞洪区和东平湖滞蓄洪水，但考虑到花园口站洪峰已经出现，花园口以上各站水位也已回落，伊、洛、沁河和三门峡干流区间雨势减弱，只要加强防守，充分利用高村以上宽河道和东平湖滞蓄洪水，就可以不使用北金堤滞洪区，以减少分洪损失。此意见，经黄河防汛总指挥部征得河南、山东两省同意后，并向国务院、中央防汛总指挥部、水利电力部发了请示电报，经周恩来总理批准，决定依靠群众，固守大堤，不使用北金堤滞洪区，只开放东平湖滞洪区，坚决战胜洪水，确保安全。这一建议的实施，能使滞洪区 100 多万人、大量耕地免受灾难。周恩来总理于 7 月 18 日亲临黄河前线，视察水情，指挥抗洪，总署防守。这对治黄抗洪大军是极大的鼓舞，对夺取这次胜利起到了重大作用。

河南、山东省政府立即召开了防汛紧急会议，进行全民动员，全力以赴，组织动员了 200 多万军民上堤防汛，有的每千米上堤人数达 300～500 人。广大军民在“人在堤在，水涨堤高，保证不决口”的战斗口号下，仅一夜之间就加修子埝 600 多千米，防止了洪水的漫溢，保住了大堤安全。在许防大堤，两名少先队员发现了直径有 0.4 m 的漏洞，数千余人迅速被组织起来，经紧急抢堵使大堤脱险。在紧张的日子里，全国各地支援大批抢险物资，豫、鲁两省广大军民在中共中央、国务院领导下，凝聚在一起，英勇奋战，终于赢得了抗御这次特大洪水的伟大胜利。

1958 年洪水和 1933 年洪水大小相似，是黄河近百年来最大的两次洪水，但这两次洪水在下游造成的灾害大不相同。这说明，在不同的年代和不同的社会制度下会产生截然不同的结果。

# 38. 1959年东江中下游百年一遇洪灾

1959年6月中旬，珠江水系东江下游出现100年一遇的大洪水。这次洪水主要由一场高强度的特大暴雨引起。东江干流博罗站出现了有实测资料以来最高洪水位15.68 m和最大洪峰流量12 800 $m^3/s$。

这场高强度的特大暴雨发生在东江中下游，雨时主要集中在6月11日至15日，雨量大于400 mm的笼罩面积达3万$km^2$。在干流的河源至博罗区间和属于三角洲的沙河、增江以及流溪河一带，雨量超过500 mm。粤东沿海的大片地区过程雨量也超过500 mm。

本次洪水自上游向下游逐渐增大，当时东江的新丰江水库正在建设中，虽然能拦削部分洪峰，但作用不大。6月14日河源站洪峰流量为7 430 $m^3/s$，下游岭下站15日洪峰流量达10 000 $m^3/s$（还原后为11 600 $m^3/s$），再向下游即是博罗站16日出现的最大实测流量12 800 $m^3/s$。

这场大洪水造成了东江下游严重的洪水灾害。据统计，惠阳、博罗、河源、东莞、新丰、龙门、从化等县都受到洪水不同程度的影响。受淹农田15.9万$hm^2$，冲垮中型、小(一)型、小(二)型水库各两座，死亡78人，受伤443人，损失非常严重。广深铁路6月14日因暴雨山洪影响，曾中止行车，东莞县境内京山段于16日被洪水冲毁，中断行车达16天之久。惠州市以下两岸堤围90%溃决，黄山洞、搞树下两座中型水库

农民抢收被淹的早稻

被冲垮。受灾最严重的惠阳县除平潭围、潼湖围未决堤外，其余大小堤围均漫顶或被冲决，缺口 116 处，长度 3 280 m。由于这次暴雨的范围很大，除东江流域外，粤东沿海、珠江三角洲也遭受了不同程度的灾害。

洪水期间，当地党政干部和军民一起积极参与到抗洪抢险中，发扬不畏艰难、坚持到底的精神，使防洪工程转危为安，灾民全部得以安全转移。

洪水退后，政府及时拨款 738 万元、大米 130 万 t 救助受灾群众，并派出医疗队赶赴灾区进行防疫和医疗工作。各县积极组织相关人员投入到对灾后受损设施的修复或重建工作中。

广东省增城县集中人力抢筑同和段围堤

# 39. 1963年海河特大洪灾

1963年8月上旬，一场罕见的特大暴雨降临，它引发了海河流域惊天动地的大洪水。

毛泽东主席十分关注海河治理，并题词“一定要根治海河”

海河流域这场特大暴雨特点是强度大、范围广、持续时间长，形成原因主要是贝加尔湖附近有一个稳定高压区。暴雨区内从日本海到西太平洋一直维持着高压区，同时西藏高原也维持一个稳定高压脊，我国东南沿海有个高压区，在四周稳定高压的包围之中，从华北至华中形成一条稳定的低压槽。在这种高低压气团作用下，冷暖气流交织在一起，加上地形的影响，造就了这场持久的特大暴雨。降雨从8月1日开始，到10日结束，绝大部分暴雨集中在2—8日，雨区主要分布在漳卫、子牙、大清河流域的太行山迎风山麓，呈南北向分布。7天累计降雨量大于1 000 mm的笼罩面积达15.3万$km^2$。这次暴雨有南北两处暴雨中心：南部中心在滏阳河内丘县，7天雨量2 050 mm，创我国大陆7天累计实测雨量最大记录；北部中心在大清河完县司仓，日降雨量达704 mm，7天雨量1 329 mm，为本地历史最大记录的两三倍。

这场洪水主要受灾面积在河北省境内。据邯郸、邢台、石家庄、保定、衡水、沧州和天津7个地区统计：淹没农田357.3万$hm^2$，占7个地区耕地总面积的71%，受灾人口约2 200余万，房屋倒塌1 265万间，约有1 000万人失去住所，5 030人死亡。水利工程遭到严重破坏，有5座中型水库、330座小

型水库被冲垮。京广、石太、石德、津浦铁路及支线铁路被冲毁822处，累计长度116.4 km，干支线中断行车总计372天，京广铁路27天不能通车。7个专区84%的公路被冲毁，淹没公路里程长达6 700 km。

除河北省受灾惨重外，河南省新乡、安阳部分地区及山西省、山东省、北京市都不同程度地受灾。这次洪灾海河全流域受灾农田达486万 $hm^2$，成灾401万 $hm^2$，直接经济损失60亿元，用于救灾及恢复水毁工程等增加开支约10亿元。

面对洪水灾害，中共中央、国务院指示中央防总制定了“确保天津市，确保津浦铁路，力争缩小灾害面积”的抗洪方针，并由此采取了一系列紧急措施：在白洋淀扒口向文安洼分洪，以确保白洋淀千里堤，缓解对天津的威胁；三洼联合运用蓄滞洪水，保住津浦铁路安全；开辟新的出路，直接分洪入海；水库工程的调度运用也发挥重要作用，未失事的大中小型水库在洪水期间仍发挥了十分重要的作用。5座大型水库和一批中型水库的削峰量多在50%以上，有的达到80%～90%。

灾区一片汪洋

这场洪水，为人们再次敲响了警钟。从历史上看，与此相似的特大洪水出现过多次，在这一地区防御可能出现的特大暴雨洪水，仍然是长期的艰巨的任务。洪水过后，毛泽东主席发出了“一定要根治海河”的伟大号召。

# 40. 1966年威尼斯大洪水

不论在画上、照片上或彩色明信片上，从濒海湖方向拍摄下来的威尼斯全景都非常迷人，但其实际景色要比任何一张图片漂亮得多。然而，威尼斯不是海市蜃楼，而是沉向大海的一座城市，神话般美丽的威尼斯如同一艘正在下沉的海船。现在到威尼斯的家家户户去，不需要爬台阶，因为台阶已被海水淹没。

威尼斯被淹的情景

威尼斯曾是一个港口贸易城市，如今大吨位船只被严禁驶入大运河，因为商船带起的汹涌的波涛可以将宫殿及古老建筑的一层楼淹没。的确，大海给这个城市以神韵，然而大海也在威胁着这个世界上最漂亮的城市。

1966年11月4日，巨大的海浪突然袭击了威尼斯。这场灾难表明，这座美丽的城市可能沉入海底。后来，这场灾害的一个目击者回忆道："所有人都感到，多少世纪以来的平衡一下子被打破了，城市和濒海湖失去了保护链……被强烈的西洛可风驱赶来的波涛，一下子越过连绵不断的岸边小岛，尽管那里地段很宽，但连游泳人掀起的轻轻的浪花都承受不了的古代宫殿，怎么能长期同海浪抗争？市内水位达到历史最高记录(高于平均海平面约2 m)，海水将商店和一层楼洗劫一空，将手工艺作坊淹没，将储油罐中的石油冲出，将图书馆的无数本书泡湿并冲到地上，毁坏了居民所有的家具，销毁了办公室中所有的文件。海浪退去后，留给人们的是另一个威尼斯。"

发生洪灾时断了电，电话网陷于瘫痪，断了煤气，许多沿岸建筑下沉到与地平面一样齐。很显然，自然界的生态平衡被打破了。如果再发生几次类似的灾难，亚得里亚海的这颗明珠将难以挽救。不幸还在于，毁灭性的打击不仅仅以这种突如其来的形式作用于这座城市，还使水位相比平时高出1 m。上世纪类似的灾情每 3 年多才发生一次，那时地表每年下沉 5 mm，而现在这座城市每年下沉 12 mm，而且近几十年来其下沉速度明显加快了。

威尼斯卫星遥感地形图

当然，为了挽救这座独一无二的城市，人们正在采取某些措施。譬如“摩西”计划，可怜的是它也不能应付因全球气候变暖而引起的海平面上升。但这些措施经常被看作是纯粹的技术性事情，因而，所有的计划都将使威尼斯“像个‘木乃伊’”，使之成为保护对象而没有生气，如同著名的庞贝城一样。

## 41. 1966年意大利波河大洪水

波河是意大利最大的河流，发源于阿尔卑斯山脉，向西南注入亚得里亚海，沿途经过意大利的重要城市米兰。波河及其支流就像是平原的血脉一样滋润着这里的土地和人民。但是波河也有它狰狞的一面，当它发作的时候，带给意大利人民的是无穷的灾难。

1966 年 11 月 4 日至 6 日，阿尔诺河与它的支流重新汇合到一起，肆虐的暴风使得佛罗伦萨北部山区倾泻了几百万吨雨水，速度每小时 144.84 km 的狂风加上倾盆大雨汇集成洪流，冲击着阿尔诺河和波河，促使阿尔诺河和波河水位迅猛上涨。有 113 人死亡，受伤人数有几千人。

洪水冲出阿尔诺河，涌进了佛罗伦萨，城市的 2/3 被洪水冲走。6 000 家商店里的精美的编织品、木工制品、皮革品等都付诸东流。更惨的是，13 世纪修建于契马布埃的壮丽的耶稣受难十字架，在圣塔克罗塞博物馆中被污秽不堪的洪水持续浸泡了 12 个小时。十字架原来涂的油彩 70%被剥落，以至无法修复。在托斯卡纳的葡萄园区，丰收在望的基安蒂红葡萄也荡然无存。尤其是艺术品遭受的损失是无法估计的，意大利政府拨款 3.2 亿美元救济灾区，其中 250 万美元用于修复损坏了的艺术品、古迹和图书馆。意大利以及佛罗伦萨的市民们深知，他们在保管着世界上最伟大的一部分艺术珍品，因此，他们普遍地害怕一种打击，一种比战争、瘟疫还要可怕的打击——这就是洪水。无情的洪水曾经几次冲过意大利这个艺术之都和文艺复兴之花盛开之地。但丁曾在他一向

船在村庄里行驶

热爱而处于险境中的佛罗伦萨看到“阿尔诺河绿色可爱的河岸”变成了“汹涌的泡沫和泥潭”。

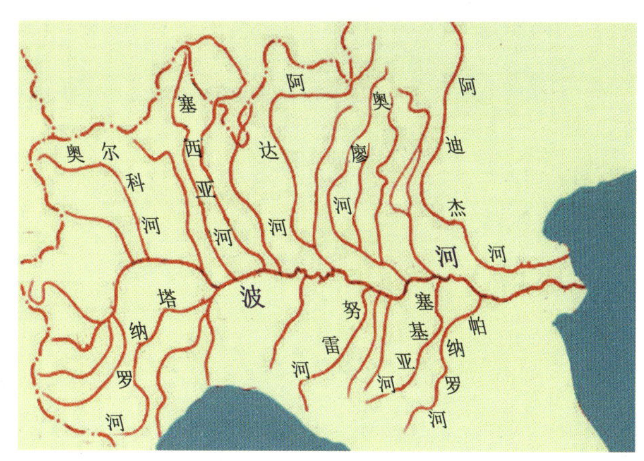

波河流域水系图

洪水整天围困着壁画。这些画都是出自名家之手，600 多幅画受到损坏，虽然大部分仍可以修复，但那些存放在国家图书馆里的价值连城的手稿和古代作品却无法再复原了。当洪水冲垮这座大图书馆的墙壁时，大约有 500 000 份档案遗失。洪水侵入了整个佛罗伦萨大学，哲学与文科图书馆中的百万册书籍被冲走。商业与经济学院的几千篇博士论文也毁于洪水中。法学院大楼中唯一的一份现存珍贵文献珍藏品——共达 20 000 卷的法学文献和图书也被冲走了。乌菲齐美术馆的主任，年迈的昂伯特·鲍尔丁教授拒绝撤到高高的屋顶上，而是与一小组雇员把一件件艺术珍品运到最高层，当水没过他们膝部时，他们也不在乎。天亮时，佛罗伦萨陷入一片混乱中，洪水退落后，留下来的是齐腰深的泥浆。

意大利政府派了一批直升飞机，一共飞行了 800 架次，把水和食物送到佛罗伦萨，另外还送来了一批艺术家、史学家、教授及学生们，这些人立即抢救那些所能抢救的意大利文化遗产。他们把几千册书、画和雕刻品从泥浆中挖出来，带回到佛罗伦萨大学，人们正在那里拼尽全力进行修复工作。世界各地的著名专家来到这里，帮助修复工作。他们拼命地工作，直到筋疲力尽，因为他们不想让佛罗伦萨成为失去珍宝的佛罗伦萨。

# 42. 1975年8月淮河水库垮坝悲剧

1975年8月上旬,河南省西南部山区的驻马店、南阳、许昌等地区发生了中国罕见的特大暴雨。特大暴雨引发的淮河上游大洪水,使驻马店地区包括两座大型水库在内的数十座水库漫顶垮坝,77.33万$hm^2$农田受到毁灭性的灾害,1 100万人受灾,超过2.6万人死亡,经济损失近百亿元,成为世界上最大的水库垮坝惨剧。

此次暴雨的起因是:三号台风深入内陆,形成强烈低压系统,挺进到长沙转而北上,移入河南省境内,停留2～3天,与南下的冷空气形成对峙局面。这种热低压系统从海洋挟带大量水汽,与强冷空气遭遇时,辐合作用特别强烈,并受地形抬升作用影响,从而在河南省中部驻马店地区造成了历史上罕见的特大暴雨洪水。这次暴雨的特点是:强度大、面积广、雨型恶劣。暴雨中心板桥库区的林庄,6小时降雨830 mm,为世界最大记录;12小时降雨954 mm、4天降雨1 629 mm,均为国内最大记录;而24小时降雨1 060 mm、48小时降雨1 338 mm、3天降雨1 606 mm,均为国内大陆上最大降雨纪录。

暴雨引发的特大洪水,主要在淮河流域的洪汝河、沙颍河及长江流域的唐白河上游。洪河石漫滩水库8月8日0时30分库水位超过坝顶溃坝失事,接着石漫滩下游田岗水库垮坝,下游老王坡滞洪区最高水位猛升到59.21 m,相应蓄水量超过设计蓄水量的2.3倍,堤防失去控制而决堤。由于来水过大,竹沟水库及58座小型水库也垮坝溃决失事。

洪水发生前,洪汝河、沙颍河两水系7月份降雨较常年同期偏少,大部分水库、河道的底水都较低,各地尚在紧张抗旱。从8月4日至7日,历时4天的特大暴雨,却把人们推到凶猛的洪流中。这次洪水使河南、安徽两省遭受重创。据统计,河南省26个县市425个乡镇遭受严重灾害,受灾人口1 030万,119.2万$hm^2$秋作物绝收,倒塌房屋524万间,淹死2.6万人;京广铁路被冲毁102 km,中断行车18天,中断运输48天。特别是大型水库失事,给下游造成了毁灭性的灾害,溃坝洪水所到之处,村庄、树木、道路、桥涵一扫

而光。遂平车站 50 t 车箱被冲出 5 km 外，60 t 大油罐被冲至 20 km 外的宿鸭湖，京广铁轨被扭成了麻花形。由于垮坝发生在深夜，许多人在睡梦中被洪水卷走，再也没有露出水面。黎明时，水面上人头攒动，灾民拼命挣扎呼救。到处漂浮着的遇难者尸体与动物尸体混在一起，一片狼藉，惨不忍睹。

板桥水库被洪水冲垮后的惨景

京广铁路被破坏

安徽省受灾面积 6 080 km$^2$，受灾人口 458 万，倒塌房屋 99 万间，损失粮食 3 亿 kg，死亡 399 人，大水冲毁堤防 1 145 km 以及其他水利工程 600 余处。临泉、阜南、界首 3 县许多地方成了无房、无粮、无物的三无极其贫困地区，水利设施基本被毁坏，在国家扶助下，经过 3～5 年才得以恢复。

这场淮河大水的劫难之痛，已永远留在人们的记忆里。这场灾难从暴雨分布情况来看，有一定偶然性，大暴雨的中心恰好落在板桥、石漫滩水库上游，造成两座大型水库失事。对于发生板桥、石漫滩水库垮坝事件，我们应该吸取教训：首先是由于过去没有发生过大型水库垮坝案例，从而产生麻痹思想，认为大型水库问题不大，对大型水库的安全问题缺乏深入研究。二是水库安全标准和洪水计算方法要有自己的经验，符合中国的国情。三是对水库管理工作要加强，应该规范管理工作流程、方法，及时准确地对水情进行预报、预测。

# 43. 1981年四川20世纪最大洪灾

1981年7月，四川省遭遇了20世纪最严重的洪水灾害，此次大洪水仍是由于暴雨引起的。

被洪水吞没的金堂县县城水深达五六米，淹没时间达两昼夜

7月9日至14日，在四川省岷江、沱江和嘉陵江流域出现连续持久的大暴雨，暴雨强度很大，在这场暴雨中，日雨量大于50 mm的雨区覆盖就有94县(市)，6天累计雨量在200 mm以上的笼罩面积约7万$km^2$，相应降水总量为192亿$m^3$。这种持续时间长的大暴雨在我国西部内陆很少见。暴雨时程分配很集中，12日、13日两天降雨量占这次降雨量的80%，这是造成本次特大洪水的主要原因。7月14—16日，岷江、沱江、嘉陵江水系均发生大洪水或特大洪水，岷江高场最大流量25 900 $m^3/s$，沱江李家湾最大流量15 200 $m^3/s$，约20年一遇。嘉陵江洪水最大，北碚站洪峰流量44 800 $m^3/s$，为30年一遇。三大支流洪水在长江干流宜宾至寸滩区间遭遇，使干流寸滩站出现流量85 700 $m^3/s$的特大洪水。

“81.7”洪水给四川省和重庆市造成极为严重的灾难，全省(当时重庆市属于四川省)受灾县市达119个，受灾人口1 584万，农田受灾面积117余万$hm^2$，粮食减产13.3亿kg，在洪水中倒塌、被冲毁的房屋139万间，死亡1 369人，因水灾停产或半停产的工矿企业2 691家，此外因洪水垮坝失事的小型水库有15座。这次洪水造成成渝、成昆、宝成3条铁路干线中断10～20天。四川全省80条公路干线和482条县级以上公路被冲断。当迅猛洪水瞬间到来之时，在射洪县唐家公社四大队，几十名男女老少先后爬上了一

棵核桃树。在一片汪洋包围下，这棵树如同挪亚方舟，让 50 多人幸免遇难。

洪水过后，污泥、垃圾、粪便堆积于城镇街道

四川这场大洪水的特点是洪峰流量大，而洪水总量相对较小，主要原因是洪水遭遇后，所幸寸滩至宜昌区间没发生暴雨，洪水下泄过程中受河槽调蓄，流量沿程消减。但是三条大江同时发生大洪水，这种情况为历史所少见。在这次洪水中，许多地方达到了历史上少有的洪峰流量、水位高程和洪水涨率。然而，这场较为严重的自然灾害，又不仅仅是自然因素造成的。长江上中游正面临着的恶劣流域生态环境、水土流失加剧也是引起巴蜀之地灾害的重要原因。这场洪水的泥沙量比过去大大增加，被这次洪水淹浸的城镇退水后的淤泥一般都有 0.33～0.66 m 厚，有的达 1～2 m 甚至 2.5 m 厚。据不完全统计，灾后全省共清除淤泥垃圾即达 4 800 多万 t。同时，在暴雨和特大暴雨的激发下，四川许多地区的山体和堆积物失去稳定，出现了范围广、规模大、危害严重的山体滑坡和沟道泥石流，大多发生在森林植被遭到严重破坏的地方。由此可见，保护生态环境，从长计议防治洪水灾害的艰巨任务已是不容忽视的了。

同时可以发现长江一些重要支流尚缺乏控制性大中型防洪水库工程的问题。这次暴雨洪水期间，在约 200 亿 $m^3$ 的洪水总量中，水库拦蓄仅 17 亿 $m^3$，不足 1/10，90%以上的洪水都任其自流，泛滥成灾。

## 44. 1981年四川甘洛与辽东半岛特大泥石流灾害

1981年7月，在特大暴雨的袭击下，7月9日四川甘洛县六桥乡利子依达沟暴发特大泥石流，最大流量2 000 $m^3/s$以上，最大流速13 m/s，历时一个多小时，输送固体物质100万$m^3$，70～80万$m^3$泥石冲入大渡河，堵断大渡河4个小时，使其回水7 km。该次特大泥石流还冲毁125 m长的成昆铁路大桥一座，颠覆了“442”次列车，为我国铁路运营史上遭受的泥石流灾害之冠。

成昆铁路442次客车被暴雨泥石流颠覆的9、10号车厢

利子依达沟位于大渡河右岸，流域面积26.1 $km^2$，7月9日0时至2时，在此地区突降大暴雨，雨量达120 mm，引发利子依达沟山体滑坡和巨大泥石流。1时30分，跨度120 m的利子依达沟铁路大桥被冲毁，在很短时间内大渡河河面被泥石流堵塞100余米，上游水位壅高近10 m。1时46分，满载旅客的442次列车穿过400 m隧道后正点到达大桥，虽经3次紧急制动，但是终因距离过短，未能刹住，列车从19 m高空坠入河沟，车毁人亡，300余人遇难。

辽东半岛东部山区1981年7月27日，辽东半岛渤海湾西岸熊岳河、复州河、碧流河上游山区的极大暴雨引发了山洪泥石流，这次特大山洪泥石流范围虽然比较局部，但灾害却很严重，死于这场灾难的人数达664人，泥石流摧毁房屋 1 835 间。

熊岳河上游杨运河段盖县运乡泥石流情景

当时，盖县西韭站记录到 24 小时雨量达 581.5 mm，大于 300 mm 雨区覆盖范围达 630 $km^2$。据调查，熊岳河上游熊岳河段，集水面积 307 $km^2$，洪峰流量 1 980 $m^3/s$；复州河七道房子河段，集水面积 65 $km^2$，洪峰流量达 1 419 $m^3/s$。在上述诸小河上游山区发生特大山洪泥石流，洪水伴随着巨大的泥石流，来势迅猛异常，熊岳河上游季店大桥全部被泥石流吞没。盖县、复州、新金等县部分山庄遭到毁灭性破坏，长大铁路被冲毁 7 km，正在行驶的 406 次列车被颠覆。

我国泥石流易发地区分布范围很广，每年都要造成重大的经济损失和人员伤亡。其中，川西、辽东南山地即为泥石流的高发区。其发生规模大、频率高、危害严重。泥石流受雨、洪、地震的影响，具有一定的季节性和周期性，泥石流的发生，一般是在一次降雨的高峰期，或是在连续降雨稍后。据不完全统计，全国有近 100 座城市直接受到泥石流的威胁和危害，尤其是人口密集、生长和生活设施高度集中的城镇和工矿区，往往遭遇毁灭性灾难。泥石流对铁路、交通危害也很严重。

近几年来，我国非常重视对滑坡、崩塌的预报研究，并从不同角度、采用不同方法致力于该项具体研究工作。虽有一定成就，但对于这个世界性难题未能突破，不能做到准确预报，在今后仍要加强对这方面的研究。

# 45. 1982年闽、赣、湘地区梅雨型暴雨大洪灾

1982年6月中旬，在湖南、江西中部，福建北部和浙江西南部发生长历时、大范围的梅雨型暴雨。江南丘陵地区的闽江、赣江、湘江等河流同时发生大洪水。闽、赣、湘三省发生大面积洪涝灾害。此次暴雨主要特征是雨量大、持续时间长、雨带稳定。

6月11—19日，在湘、资、沅水中上游，赣江中下游，抚河、信江、闽江上中游，浙江省的新安江、瓯江普降大雨。降雨主要分成三个阶段：第一阶段在11—13日，大部分地区在50 mm以下，局部地区日雨量超过50 mm；第二阶段在14—18日，暴雨主要集中在这一阶段，5天总雨量占此次雨量的80%～90%，暴雨区稳定在湖南、江西中部和福建北部，其中14日雨量最大，日雨量100 mm以上暴雨笼罩面积42 290 km²，日雨量超过50 mm的暴雨区面积达15万km²，相应的降水量近140亿m³；第三阶段在19—20日，雨势减弱，降雨接近尾声。

暴雨中心区位于抚河、信江、富屯溪上游武夷山区，雨区中心上观站测得最大降雨量718.5 mm。降雨量在200 mm以上等降雨量线所包围面积达18万km²，相应降水总量628亿m³。18—20日，湘江、赣江、抚河、闽江等河流几乎同时出现20～30

被淹街道一角

**1982 年 6 月闽、赣、湘地区主要站洪水峰量表**

| 河　名 | 站　名 | 集水面积（$km^2$） | 洪峰流量（$m^3/s$） | 重现期（年） | 时段洪量（亿 $m^3$） | | |
|---|---|---|---|---|---|---|---|
| | | | | | 3 天 | 7 天 | 15 天 |
| 赣江 | 吉　安 | 56 223 | 14 500 | 10 | 34.78 | 60.7 | 89.45 |
| 赣江 | 石　上 | 72 760 | 19 900 | 25 | 47.28 | 92.6 | 104 |
| 赣江 | 外　洲 | 80 948 | 20 400 | 25 | 50.25 | 99.4 | 151.2 |
| 抚河 | 李家渡 | 15 811 | 8 480 | 20 | 20.78 | 40.65 | 48.75 |
| 湘江 | 湘　潭 | 81 638 | 19 300 | 20 | 45.6 | 82.1 | 115 |
| 建溪 | 七里街 | 14 789 | 15 000 | 约 50 | 23.8 | 42.8 | 53.2 |
| 闽江 | 竹　岐 | 54 502 | 25 800 | 20～30 | 50.8 | 97.9 | 133 |

年一遇的大洪水。赣江上石上站集水面积 72 760 $km^2$，洪峰流量 19 900 $m^3/s$，湘江湘潭站集水面积 81 638 $km^2$，洪峰流量 19 300 $m^3/s$，闽江竹岐站集水面积 54 502 $km^2$，洪峰流量 25 800 $m^3/s$。赣江石上站、抚河李家渡站最高水位都超过历史最高纪录。暴雨使江西、湖南、福建三省遭受较为严重的水灾。据统计，三省合计有 178 个县（市）受灾（江西 59 个，湖南 85 个，福建 34 个），其中 32 座县城被淹，江西省吉水县城内水深竟达 3 m；共有 116.7 万 $hm^2$ 耕地被淹，其中江西 52.1 万 $hm^2$，福建 10.9 万 $hm^2$，湖南 53.7 万 $hm^2$；受灾总人口达1 659.6 万人，死亡 562 人，倒塌房屋 31.3 万间。

此外，三省的水利工程设施也遭到洪水严重破坏。江西 25 座小型水库、108 座小水电站被冲垮，洪水还冲毁圩堤 2 037 处；福建圩堤溃决 4 105 余处，冲毁渠道 174.25 km，小水电站 456 座；在湖南冲毁小型水库 10 座，小水电及电灌站 1 121 处。

1982 年 6 月闽赣湘地区洪水是由梅雨锋暴雨所造成，主要受西太平洋副高压强弱的影响，雨带位置可以在长江中下游南北摆动，在防洪过程中值得关注。

## 46. 1983年汉江洪水沉没安康古城

安康位于陕西省南部，是一座拥有10余万人口的城市，据史料考证，已有近1 000年历史了。1983年8月初，汉江发生特大洪水，安康站最大洪峰流量31 000 $m^3/s$，为百年一遇大洪水。最高洪水位超过安康城墙1～2 m，安康老城遭到灭顶之灾，是新中国成立以来又一次洪水毁城事件。

1983年7月28—31日，汉江上游连续下了4天大雨和暴雨，暴雨中心位于大巴山南侧嘉陵江、渠江上游，雍河、槐树两站降雨量分别为603.0 mm和560.9 mm。安康以上地区平均降雨量为160 mm，200 mm以上的降雨笼罩面积为5 130 $km^2$。本次雨量和强度都不算大，但降雨的时、空分布对防洪很不利。暴雨过程中雨区自西向东逐日扩散、东移，移动速度与流域汇流时间配合密切，有利于干支流洪水遭遇叠加，干流与区间支流洪峰于31日22时同时到达安康，形成安康31 000 $m^2/s$的特大洪水，远远超过城市设防能力。

灾民安全转移

这场洪水来势凶猛异常，安康站7月31日2时洪水开始起涨，水位244 m，至8月1日凌晨1时30分，最高水位达259.30 m，24小时内洪水上涨了15.3 m，超过城堤高度1.5 m之多，顷刻间安康城内一片汪洋，最大水深达11 m，9万多间两层楼以下房屋被冲毁殆尽，9万人受灾，淹死870余人。加上洪水发生在半夜，来不及防范，安康城遭"灭顶之灾"。

安康城濒临汉江，高大的城墙一方面是战备的需要，同时也兼作防洪堤。据记载，在1583年曾发生一场大洪水，那场洪水"官署民舍，古老寺庙荡涤殆尽"，当时已

安康河街全被淹没，大桥沉没无踪

居住二三万人口的安康城，淹死了5 000余人。当时人们想以迁城的办法躲避洪灾，决定在地势较高的城南赵台山脚重建新城。迁到新城后，虽然可以免遭洪水威胁，但是由于远离了汉江，贸易运输交通不便，加上怀念旧土的原因，80%～90%人仍然留在老城，灾后经过60年旧城才逐渐得到恢复。清顺治四年（公元1647年）县治重新迁回老城，鉴于前朝惨痛教训，在设防上采取了两项重要举措：一是两次增高城墙高度，从二丈增高至二丈二尺；二是在新、老城之间修建了一道逃生堤，以便紧急情况下居民得以安全撤离。凑巧的是，这道逃生堤刚修竣不到4年，于康熙三十二年（公元1693年）又发生了一场近似于1583年的特大洪水。此后不久，于康熙四十五年洪水又一次破堤入城，短短14年之内，迭遭两次大洪水，安康城一毁再毁，于是被迫第二次再迁新城。差不多隔了一个世纪，至嘉庆二年（公元1797年）县治重新迁回老城，对城堤进行了大规模的改造加固，城堤增高至9 m，堤顶宽6 m，前后费时14年才告竣，这就是现在所看到的安康城堤的规模。从上可见，安康城历史上就饱受水灾祸患。

按理说，人们应该从历史的灾难中引起警觉，然而长期以来安康古城的城堤被破坏得很严重，堤身千疮百孔。当1983年7月末洪水来临时，人们怎么也没想到，在一夜间洪水流量从9 000 $m^3/s$涨到31 000 $m^3/s$，水位上涨15.3 m，全城上下猝不及防。1983年8月安康城灾难再次告诫人们：防汛准备一定要从防大洪着眼，并将各项措施落到实处，只有这样，才有可能把任何洪水的灾害降到最低程度。同时我国许多城市都面临着洪水威胁，在防洪问题上，必须要有居安思危的观念，这应该是这场毁城洪灾留给人们的深刻教训。

## 47. 1987—1988年特大洪水淹没孟加拉国大片国土

孟加拉国是世界上水灾肆虐最频繁的地方。1944 年发生的特大洪水，导致 300 万人被淹死或者饿死，震惊了世界。继 1987 年大洪水之后，1988 年再次发生骇人洪水，淹没了 1/3 以上的国土，使 3 000 万人无家可归。洪水使这个国家成为全世界最贫穷的国家之一。联合国实施了对孟加拉国的两项粮食供给计划，每年耗资 2 000 万美元。

城内成了汪洋

孟加拉湾处在印度洋海岸，这里出现飓风和风暴已是司空见惯的事。每年这里都发生自然灾害，当地居民早已习以为常。

1987 年 7 月 19 日深夜，天空乌云密布，狂风大作，雷霆闪电和暴雨惊醒了首都达卡和附近的居民。这是一场典型的热带暴风雨，顷刻间平地成为河流，许多市镇和田野被淹没。在飓风和暴雨的双重袭击下，许多简陋的民房坍塌了，3 万户居民无家可归。等到第二天天亮时，到处已是一片汪洋，一些地方只露出屋顶和树梢。被暴雨和洪水折腾得无路可走的居民们，像鸟儿一样躲避在摇摇欲坠的屋顶和树上。为了防止被大风和洪水卷走，许多人把自己用绳子绑在树上。这突如其来的天灾，使毫无准备的居民不知所措，情况十分危急。

紧接着又是连日的暴雨，加之狂风肆虐，短短 2 个月间，孟加拉国 64 个

县中有47个县受到洪水和暴雨的袭击，造成2 000多人死亡、2.5万头牲畜淹死、200多万t粮食被毁、2万km道路及772座桥梁和涵洞被冲毁、千万间房屋倒塌、大片农作物受损，受灾人数达2 000万人。水灾以后痢疾流行，又使80万灾民染病，近百人死亡，损失不可计数。

大自然虽有其不可抗拒的力量，但通过有力的预防措施可将其破坏程度降到最低限度。1987年9月，孟加拉国灌溉、水利发展和防洪部长阿尼斯·伊斯拉姆·马哈茂德在事后说："如果我们和印度、尼泊尔能在有效利用本地区水资源，即在冬季增加河水流量，在雨季控制洪水这些问题上达成协议的话，我们本来可以减轻7月和8月份在这里发生的洪水灾害的严重程度的。"他的这番话若早能做到，数以千万的人民就不会无家可归。而事实上，在这次洪水过后的十几年里，孟加拉国仍然每隔几年就遭到一次大的洪水袭击，而政府依旧在按惯性运作。

转眼一年，洪水又一次降临到这个国家。1988年8—9月整个喜马拉雅山地区普降暴雨，洪水汇入布拉马普特拉河和恒河，由孟加拉国出海，河水溢出河堤淹没农田、冲垮房屋、摧毁村庄，全国2/3的陆地成了一片汪洋，极目望去，茫无际涯，间或有浮出水面的小块陆地宛若大海中的小岛，挤满了逃难的人群。500万人的首都达卡也完全泡在了水中。全国持续受淹48小时，共有5 000多万人受灾，一半以上人口的生活受到洪水的影响。

1988年的洪水还给孟加拉国的交通设施造成了巨大的破坏，1 300多公里铁路、240多座桥梁以及一些火车站随洪流而去，仅修复交通设施一项就花费约1.6亿美元。这是20世纪孟加拉国最严重的一场暴雨型水灾，这场浩劫使这个世界上有名的穷国变得更加贫穷。

城镇街道被淹没，人们只能徒步行走

在水利专家的眼睛里，孟加拉国的水灾，比世界上任何一个地区都严重得多。孟加拉国几乎就是洪水的代名词。在这里，自20世纪中期以来，有水灾是常事，没有水灾反而是异常现象。水患频繁，已成为孟加拉国的头号公害。

## 48. 1991年太湖和淮河洪灾

城镇受淹情景

1991 年太湖和淮河流域几乎在同时由于大雨引起大洪灾。

当年太湖 5 月 19 日即开始入梅，至 7 月 13 日结束，梅雨期长达 56 天，整个梅雨期间有两次集中降雨过程：第一次 6 月 11—19 日，暴雨中心位于湖西丹阳、金坛一线，中心雨量金坛310 mm；第二次 6 月 30 日—7 月 14 日，暴雨中心仍在金坛、无锡一线附近，中心雨量金坛 554 mm。引发这次洪水还有一次降雨过程就是在 8 月 7 日，全流域平均降雨 71.6 mm，其中湖西北部、澄锡虞西部、上海大部，雨量超过 100 mm。

这一年淮河流域也是雨量大、入梅早、雨区广。梅雨季节比常年提前 1 个多月。5 月中旬到 7 月中旬发生 3 次大面积暴雨。5 月平均雨量 176 mm，是常年的 2 倍以上。6 月 12—14 日，淮河水系南部普降暴雨，暴雨中心寿县 3 天降雨 420 mm。在 6 月 28 日—7 月 11 日，出现长时间降雨过程，雨区仍维持在流域中南部，暴雨中心史河，安徽省金寨县马宗岭站 14 天雨量达 1 200 mm。

1991 年 5 月初太湖水位已达警戒水位 3.5 m，以 6 月 11 日至 7 月 15 日 35 天为统计时段，流域总降雨量达 165.5 亿 $m^3$，其间滞蓄在太湖的洪水有 31.7 亿 $m^3$，致使太湖水位猛涨，造成历史上罕见的高水位。7 月 14 日太湖最高平均水位 4.79 m，超过历史最高记录 0.14 m，且持续时间达 13 天，超过警戒水位时间达 81 天之久，超危急水位 38 天。

淮河淮南和大别山区各支流出现接近或超过1954年的特大洪水。沿淮各站水位迭次起涨，中游水位居高不下，大别山区水库大多超过汛限水位运行。淮河水系15座大型水库共拦蓄洪水38亿 m³，发挥了显著的拦洪效益。另外，在淮河蚌埠以上先后启用了3个蓄洪区、14个行洪区，进洪总量达40亿 m³。

淮河部分区域鸟瞰图

太湖流域41个市(县)中有30个市(县)不同程度受灾。1991年江苏省太湖地区水灾经济损失97.4亿元，其中农业占47%，而城市企事业单位损失占53%，超过了农业损失。

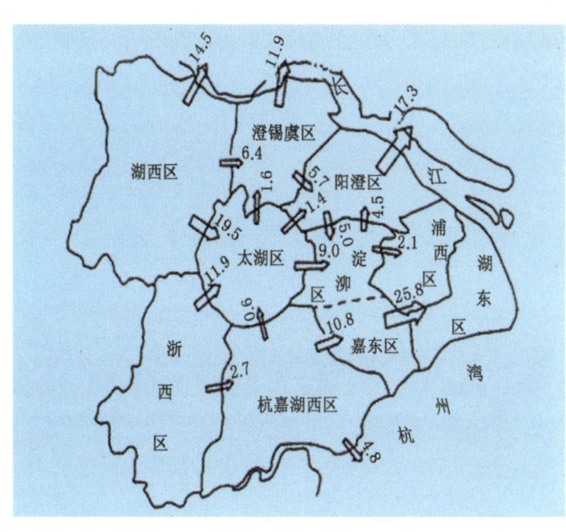

1991年6月11日～7月15日太湖流域洪水运行示意图

太湖流域造成的直接总经济损失约113.9亿元。淮河流域受灾人口5 423万，死亡571人，直接经济损失340亿元。沪宁铁路、宁杭312国道等交通干线多处受阻，内河航运长期停航。水、电、气、通信、广播等主要基础设施受淹损失严重。淮河流域数千家工厂企业被洪水围困。洪水还淹没或者浸泡了津浦线、淮南线、淮阜线等铁路干线，使铁路交通中断，不少公路干线被淹。

此次洪灾的形象评价是："淮河淹了粮仓，太湖淹了钱庄!"不管是太湖流域、淮河流域，还是其他各流域，今日的人口密度、经济总量、城镇、工厂企业的布局和过去已不能同日而语。1991年太湖、淮河的洪涝灾害的经济损失，主要表现在对城镇、工矿企业、交通、农业等方面的严重破坏。

# 49. 1993年美国"老人河"的大灾难

1993年,美国的第一大河密西西比河和密苏里河流域发生了20世纪最大的洪水。

据美国陆军工程师团(简称工程师团)总部的资料记载,密西西比河干流上游和密苏里河长达1 600 km的河段达到了历史最高记录水位,洪水淹没面积达41 000 $km^2$,河流停航2个月,工程师团管辖的许多水库蓄水量达到了历史最大记录水量。



圣路易斯站洪峰流量达30 560 $m^3/s$,是130多年以来测得的最大流量,超过以前有记录最大洪水的27%,水位超过近2 m,汛期中洪水持续时间达104天。圣路易斯站洪水相当于150～200年一遇洪水,有些支流测站为500年一遇洪水。受灾范围波及艾奥瓦及伊利诺伊、密苏里、明尼苏达、内布拉斯加、北达科他、南达科他、威斯康星和堪萨斯9个州。这次洪灾超过美国本土面积15%的灾区发生在因农业堤防漫溢或决堤而被淹没的农田和未建标准防洪设施的城市,因此,大概1 600 $km^2$ 的土地处于因堤防溃决而被洪水泛滥的泥沙所覆盖的状态。仅密苏里州就有1 820 $km^2$ 的土地,也就是密苏里河流域洪泛区60%的耕地遭受了泥沙淤积物和冲刷的灾害,其中有310 $km^2$ 的土地被覆盖了15～61 cm厚的泥沙。这次洪灾损失超过150亿美元,50多人死亡,54 000人无家可归,联邦国会

洪水冲毁高速公路

筹款 60 多亿美元用于救助灾民。

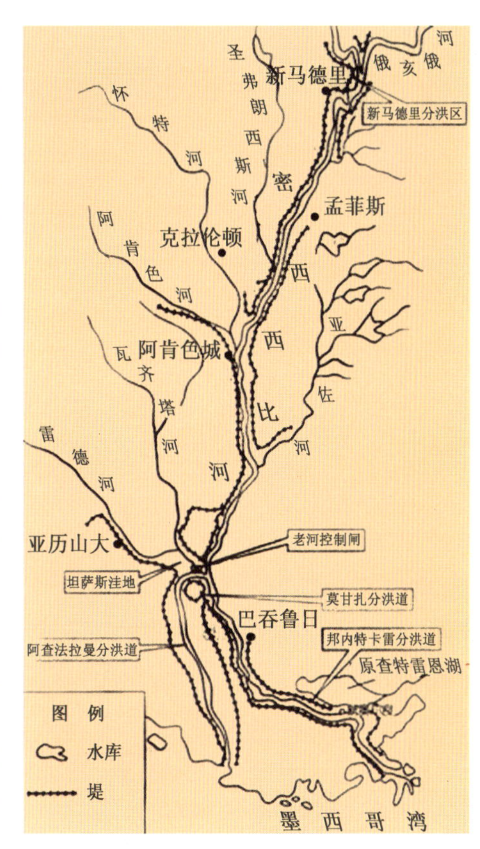

密西西比河流域图

这次洪水中受灾的 9 个州年均降水量略大于 762 mm，上游年均降水量比下游大。同时，该流域 4—7 月四个月降水量占年降水量的 45%，其中 6 月份的降水量为 51～127 mm，约占年降水量的 15%。但是，1993 年 6 月上旬美国西部的低气压造成东南部出现了高气压。因此，通常向东急进的气流按抛物线方向南下后，改变路线上升向东北流动(从科罗拉多中部经堪萨斯转向威斯康星州北部)。结果来自墨西哥湾的湿润气流与来自加拿大的干冷空气遭遇使气压槽在中西部滞留。由此而产生的不稳定气团造成了美国中西部的密西西比河上游流域发生持续降雨，使 1993 年 1—7 月密西西比河上游的累计降水量却大大超过了平水年(1961—1990 年)。3 月份以前的累计降水量虽与平水年相同，但 4—7 月的降水量则急剧增加。

# 50. 1995年辽河、第二松花江洪灾

1995年夏季，东北地区连续降雨，其间有7次明显的较大降雨过程，雨区主要集中在第二松花江、辽河、图们江、鸭绿江等流域。前3次降雨（6月21日—7月16日）缓解了旱象，饱和了土壤；后4次降雨（7月25日—8月7日）导致各河涨洪。

后4次降雨，强度之大、雨量之多在东北地区是罕见的。暴雨中心的佟庄子、傲牛、救兵、歪头山、海浪、银匠水库，最大日雨量都超过500年一遇的标准。而且这7场雨的主雨区几乎都在东北地区东南部的第二松花江上游辉发河、头道江、二道江、辽河干流东侧、浑河、太子河、图们江、鸭绿江等流域。

7月下旬到8月中旬的强降雨使第二松花江、辽河、浑河、太子河、图们江、鸭绿江六大江河发生洪水。其中，第二松花江丰满水库以上17个水文站有8个发生了有实测记录以来的首位洪水。如果没有白山水库的拦蓄，丰满水库将会出现300年一遇的特大洪水。浑河支流东洲河东洲站7月29日洪峰流量4 210 $m^3/s$，为1961年有实测记录以来的最大洪水；浑河大伙房水库7月30日入库洪峰流量10 700 $m^3/s$，为1888年有资料以来的第一位，洪水超过9 000 $m^3/s$的入库流量持续时间长达13小时（1 000年一遇设计洪水入库流量超过9 000 $m^3/s$的时间为6小时），水库在7月31日出现最高水位136.46 m，超汛限水位8.66 m，成为该水库历史上从未见

解救桦甸市灾民

过的特大洪水。辽河流域的清河水库和柴河水库均出现重现期为100年一遇的特大洪水。辽河干流铁岭站7月30日洪峰流量4 420 $m^3/s$,为1856年以来的第三位洪水;巨流河站洪峰流量4 670 $m^3/s$,为1934年以来的首位洪水;鸭绿江丹东站8月8日洪峰流量33 200 $m^3/s$,为1955年有实测资料以来的第一位大洪水。太子河虽也出现了较大洪水,但所幸有水库节节拦蓄,大大减少了下游防洪负担。

白山水库等一大批水利工程在抗御洪水中发挥了重要作用

这年松花江、辽河的洪涝主要是辽宁、吉林两省受灾。辽宁省洪灾损失的重点是农村乡镇企业,吉林省的灾害重点是中小城市。吉林省的城镇受灾情况是新中国成立以来最为惨重的一次,共有2个地级市、15个县(市)城镇被淹。灾害最重的桦甸市变成了一座大型水库,交通、供水、供电、通讯全部中断。吉林、辽宁两省在这次洪灾中,直接经济损失627亿元,其中辽宁省344.3亿元,吉林省282.7亿元。两省有118个县(市、区)、1 245个乡、1 078万人受灾,死亡201人,倒塌房屋64万间,损坏房屋166.8万间;全部停产的工矿企业有16 921家,部分停产的有15 615家;铁路中断30条次,毁坏路基83.44 km,冲毁桥涵126座;公路中断1 618条次,冲毁桥涵6 285座,冲毁路基7 284 km。

在这年的洪水期间,第二松花江沿江3市8县(市、区)共出动372.55万人次抢险,仅8月13日就出动81.2万人奔赴抗洪前线。在辽河的抗洪抢险斗争中,出动了陆海空军指战员3万余名,调集了56万名民兵预备役部队,还有上万名武警和公安干警,日夜战斗在抗洪抢险的最前沿,与沿河民众共同浴血奋战,解救被洪水围困的群众。

# 51· 1996年长江、柳江、海河、黄河并发洪灾

进入90年代以来，江淮、珠江、洞庭、鄱阳水系和长江流域频频发生大水，尤其是1996年长江、柳江、海河、黄河流域相继出现大洪水或特大洪水，其来势之猛、影响范围之广、洪水量之大，都是空前的。

一居民乘浴盆出行

受中高纬度环流调整的影响，在长江中下游的皖南、浙西北、赣北形成一次暴雨至大暴雨降水过程，产生洪涝灾害。长江有100多千米江段江水超过了堤面，洪湖有十余公里湖段的水面高出1 m以上。为保护下游城镇，洪湖市不得不扒开25个垸子分洪蓄水。湖北有71个县、3 929万人受灾。洞庭湖区的灾情更严重。洞庭湖出口站的洪水超过1954年最高水位1.57 m，2 600 km一线大堤的洪水超过防洪极限水位，2 000 km大堤出现险情；溃垸124个，333.9万人受灾，15.7万灾民无家可归，直接经济损失149.5亿元。安徽省黄山、宣城、池州、六安、蚌埠、宿州等地大部分县市被淹，受灾人口565.8万人，死亡56人，倒房8.2万间，农作物受灾面积40万 $hm^2$，直接经济损失80.2亿元；浙江省杭州、湖州、嘉兴、衢州等地21个县市519.5万人受灾，死亡51人，倒房1.7万间，受灾农田31.5万 $hm^2$，直接经济损失54.8亿元；江西省景德镇、上饶、九江等地3个县市，379万人受灾，死亡8人，受灾农田20.3万 $hm^2$，倒房5万间，直接经济损失35.8亿元。

在柳江干支流地区，1996年7月中旬，受地面静止锋、高空低压槽及低压切变线的共同影响，上述时间区域内降了暴雨到大暴雨，柳江干支流产生20世纪最大洪水，造成洪涝灾害；洪峰水位92.43 m，比历史上的1902年洪

水高出了 0.96 m。这也是 1939 年柳州水文站建站以来实测到的最高洪水位。整个柳州市所有街道均被淹没，80 万人被洪水团团围住。广西自治区三江、融安、融水、柳州市等市县 141 万人受灾，死亡 125 人，倒房 14.8 万间，受灾农田 10.89 万 $hm^2$，直接经济损失 45.4 亿元。此次水灾柳州市城区大部分被淹，三江县县城被水围困，融安县县城和车站全被淹没，融水县整个县城所有街道和机关、学校等均被洪水淹没，淹没最深达 4 m 多。

在海河、黄河地区，受 9608 号台风登陆深入内地后形成的台风倒槽和冷空气的共同影响，海河流域漳卫河、大清河、子牙河等南系支流地区普降大暴雨，局部特大暴雨，致使上述河流发生仅次于 1963 年的洪水灾害。

海河出现了四大水系同时发难，山洪暴发、河水猛涨的滹沱河水位与南堤堤顶持平。滏阳河普遍满溢，13 条支流的洪水直扑中游洼地。大清河、漳河也频频告急。政府不得不动用 30 年没有用过的 3 个泛区、4 个滞洪区来削减洪水的淫威。河北省石家庄、邢台、邯郸、保定、廊房、承德、衡水等 11 个地区 91 个县市 1 517 万人受灾，死亡 671 人，倒房 114.8 万间，受灾农田 122.6 万 $hm^2$，直接经济损失 286.6 亿元。受灾最重的县市有涉县、大名、永年、鸡泽、宁普、任县、南和、邢台、井陉、赞皇、平山、饶阳、武强、献县、霸州、文安、兴隆、玉田、青龙等 20 个县市。此次水灾造成 8 条国道、29 条省道多处中断，毁坏公路 2 492 km、桥涵 7 066 座、堤防 700 多 km，死亡大牲畜 16.8 万头。

同样受到 9608 号台风深入内地影响的，还有黄河流域汾河水域。山西汾河上游及东部太行山脉一带降了大暴雨，山西中东部河流普遍发生洪水，汾河干流出现大洪水，以致造成洪涝灾害。山西省晋中、运城、太原等地市所属 67 个县市 432.8 万人受灾，死亡人口 195 人，倒房 14.2 万间，受灾农田 47.1 万 $hm^2$，直接经济损失 70.1 亿元。太原官地煤矿有 772 人被困井下，死亡 33 人。

经过各路防汛大军的艰苦奋战，虽然战胜了严重的洪涝灾害，却付出了沉重的代价。据统计，全国有 21 个省、自治区受灾，受灾人口 2 亿多人，440 万人无家可归，314 万 $hm^2$ 农作物绝收，直接经济损失 2 200 亿元，超过 1991 年至 1993 年三年洪灾的损失之和。

# 52. 1996年台湾破历史纪录特大暴雨洪水

贺伯台风冲断南投县笔石桥情景

台湾地处祖国东南，东临太平洋，西隔台湾海峡与大陆隔海相望，属于低纬度亚热带海洋性气候，常常成为台风移动的首经之地，在夏季期间常受到台风的侵袭，再加上台湾地区山势陡峻，且河流短，河水湍急，每次上游地区降雨后，大量降水就快速地沿着河道流至下游，造成洪水。

1996年7月30日—8月1日，台湾出现超过历史记录的特大暴雨和洪水，而东亚入夏以后，强盛的西南气流自印度洋孟加拉湾进入中国，沿低纬东行又为台湾送来丰沛降雨。因此，台湾省平均年降雨量达2 500 mm左右。

台湾岛中央山脉，北起苏澳，南达鹅銮鼻，长330 km。东侧极陡，每1 km约下降120 m。西侧较缓，但距海很近。在这种地形条件下，台湾河流坡陡流急，河长而流域面积不大，但洪峰量不小，所以洪灾严重。7月24日贺伯台风在关岛东北800 km的洋面生成，并向偏西方向移动。7月31日21时，台风在台湾东北部的宜兰登陆。此时，高山西侧正当气流迎风面，造成了台风环流

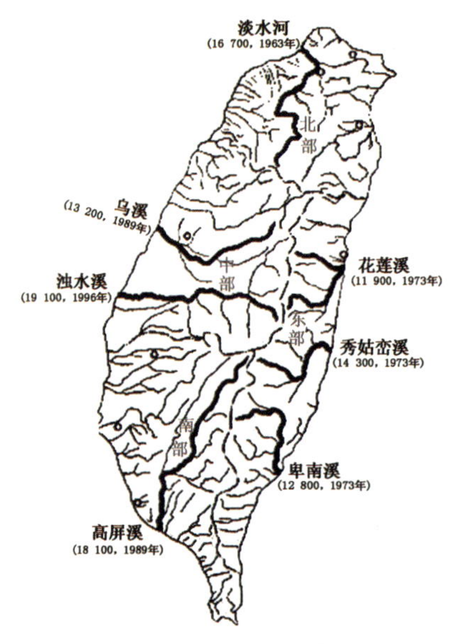


台湾洪水超过10 000 $m^3/s$的河流

雨和地形雨合成效应，产生了特大暴雨。

灾区淹水严重

这次特大暴雨，中部山区的雨量纷纷打破了200年频率年最大日降雨纪录。阿里山站7月31日雨量高达1 094.5 mm，打破1933年设站以来所有纪录，最大24小时雨量1 748.5 mm，成为全台湾、全中国、全亚洲和环太平洋地区最高纪录，与世界最高纪录1 870 mm相近。当时宽广台风环流云系直径超过700 km。台湾产生如此异常的特大暴雨，必然会形成超过历史纪录的特大洪水。

这场特大洪灾给台湾造成的损失难以估计，其中以南投县最为惨重。南投县是这次暴雨的中心，雨量大，灾情最重。全县死亡27人，失踪24人，受伤41人，房屋全倒177户，半倒93户，农田流失埋没363 $km^2$。这次暴雨引发台湾各地灾情频传，损失惨重，即使并非最大雨量中心的台北市士林区社子岛，也因洪灾期间排水不畅，淹水十分严重。

1996年这次台风不仅在台湾造成严重洪灾，它穿过台湾海峡在福建再次登陆后，8月2日过江西。当天下午至5日，沿途及河南和河北省京广线以西均受影响，普降暴雨，其中黄河三门峡以下至花园口区间和豫北及山西、河北两省相邻地区降大暴雨。黄河下游和海河南部一些支流也出现较大洪水。

# 53. 1998年长江、嫩江、松花江、珠江并发特大洪灾

1998年的中国遭遇南北洪水的夹攻，长江发生自1954年以来又一次全流域性大洪水，嫩江、松花江洪水超过1932年，珠江流域的西江发生仅次于1915年的特大洪水。

1998年6—8月，长江汛期降水分4个阶段。第一阶段降雨：6月11日—7月3日，主要降雨区集中在鄱阳湖水系和洞庭湖水系的湘江、资水、沅水等。此次降雨使得鄱阳湖、洞庭湖水位猛涨，受两湖水位上涨影响，长江中下游干流水位也随之上涨。宜昌和沙市都超过历史最高水位。第二阶段降雨：7月4—15日，降雨区集中在长江流域的汉江上游区域。第三个阶段降雨：7月16—31日，乌江、沅江、武汉市、鄂东北和鄱阳湖水系相继降大暴雨。武汉及宜昌都出现历史最高水位。第四个阶段降雨：8月1—29日，降雨区先在长江上游和三峡区间，逐渐发展到长江中下游及江南地区，以后雨区又回到嘉陵江、岷江及汉江流域。

1998年长江中下游洪水的突出特点是：洪水位很高，如沙市达45.22 m，超过大堤设防水位0.22 m；涨势迅猛，中下游和洞庭湖、鄱阳湖水系堤坝共溃决1 975处，被淹没耕地面积23.9万$hm^2$，受灾人口231.6万，死亡241人，五省共计死亡1 562人，直接经济损失194亿元。

与此同时，嫩江、松花江也暴发大洪水，干流哈尔滨洪峰流量16 600 $m^3/s$，为20世纪最大洪水。东北地区汛期前后5次暴雨过程，始终徘徊在嫩江左岸支流上空，使嫩江干流先后发生3次洪水，而且一次比一次大。嫩江的洪水进入松花江后，哈尔滨站出现有2个峰值的复值，而且在120.9 m洪峰水位持续了32小时，超过警戒水位的时间长达50天，超过历史最高水位的时间长达13天。黑龙江省遭受的洪水袭击，持续时间之长、流量之大、受灾范围之广，为历史所罕见。

据初步统计，受灾县(市)88个，受灾人口1 733万人，被洪水围困人口144万人，紧急转移人口258万人，进水城镇70个，积水城镇73个，淹没耕

地 346.2 万 $hm^2$，死亡牲畜 137 万头，全停产工矿企业 3 742 个，洪水淹没油井 4 100 口，铁路中断 32 条次、中断时间 3 658 小时，中断各级公路 1 512 条次，冲毁铁路桥涵 101 座、公路桥涵 7 457 座，毁坏铁路 61.5 km、公路 8 601 km，毁坏水库 124 座，毁坏堤防 3 390 km，冲毁水文站 67 个，直接经济损失 480 亿元。

在长江、松花江暴发大洪水之前的 6 月中下旬，珠江流域的西、北江被 100 mm 雨量所笼罩，使得西江发生了 20 世纪仅次于 1915 年的特大洪水。西江干流沿线长时间持续水位上涨，加上北江也发生中小洪水，农历闰五月初一至初四大潮期，出现了比洪水位还高的潮水位，使西、北江中下游及珠江三角洲有 94 个县(市)受灾。受灾农田为 79.6 万 $hm^2$，其中绝收 26.6 万 $hm^2$，受灾人口达 1 304 万人，直接经济损失 154.7 亿元。水利设施损失严重，有 10 座大中型水库、102 座小型水库和 219 km 堤防受损。

据不完全统计，在南北暴发的罕见的洪水灾害中，全国共有 29 个省(区、市)遭受了不同程度的洪涝灾害，受灾面积 2 120 亿 $hm^2$，成灾面积 1 306 亿 $hm^2$，受灾人口 2.23 亿，死亡 3 004 人；倒塌房屋 497 万间；直接经济损失约 1 666 亿元。

1998 年中国的抗洪救灾成为举国上下的头等大事。中央政治局紧急召开扩大会议；中央领导同志密切关注水情灾情，江泽民、李鹏、朱镕基、温家宝等中央领导人亲临抗洪前线视察、指挥；解放军和武警官兵 433 万人次、500 多万民兵投入抗洪抢险前沿，成为解放战争渡江战役以来我军在长江沿岸投入兵力最多的一次重大行动。

灾民被安全转移

# 54. 1999年太湖发生20世纪最大洪水

1998年大洪水的一幕幕还在人们心头萦绕，一切灾难的记忆尚未平息，1999年长江流域又发洪水。地处长江三角洲的太湖流域发生20世纪以来的最大洪水，其水位创历史最高纪录。

太湖流域以平原为主，周边高、中间低，整个地形呈碟形，高差约2.5 m，河道比降平缓，约十万分之一二；流速约0.2～0.3 m/s，故泄流能力小，每遇暴雨，河湖水位暴涨，加上河网尾间泄水闸受潮位顶托，泄水不畅，高水位持续时间长，极易形成洪水蛮阻，酿成洪涝灾害。

浙江省湖州市菱湖镇街道行船一景

1999年的太湖梅雨期长达43天，梅雨期是常年的2倍；梅雨量669 mm，为常年的3倍，重现期超过100年一遇。梅雨期的强降雨造成太湖流域产水量约192亿$m^3$，使太湖地区、杭嘉湖地区、上海地区等河湖水位普遍超过历史纪录。此外，嘉兴、陈墓、金泽、南浔等站分别超过历史最高水位；苏州、无锡、平望等站分别超出警戒水位。

这场太湖流域洪涝灾害波及浙江省、江苏省和上海市，尤其以浙江省的湖州市和嘉兴市，江苏省的苏州市所辖的吴江市、无锡市和常州市所管辖的溧阳市经济损失最为严重，洪水淹没面积68.7万$hm^2$，直接经济损失141亿元，其中，江苏省22.48亿元、浙江省110.07亿元、上海市8.71亿元。

长江流域主汛期共发生4次降雨过程，其中乌江、水阳江有两支流水系

溧阳洪武路一片汪洋

超过历史最高水位，与1998年相比虽然洪量较少，但水位攀升速度快。洪水仍然造成了湖北、湖南、江西、安徽等省的巨大损失。

防洪工程建设在1999年抗御洪水中发挥着巨大作用。在1998年大水之后，长江流域被大水毁坏的工程全面得到了修复，处理险情2 600处，处理基础防渗140 km；完成穿堤建筑物加固、改造482座；加高培厚堤防1 300多km，加上退田还湖，扩大江湖调洪蓄水能力，使长江干流及其他重要地区的防洪能力有了提高。这场大洪水虽然接近1998年的洪量水位，但险情大为减少。减少受灾人口160多万，受淹耕地比1998年少13.3万$hm^2$。太湖流域的防洪骨干工程，如太浦河工程、望虞河工程、环湖大堤工程、杭嘉湖南排工程、湖西引排工程、武澄锡引排工程、东西苕溪防洪工程、拦路港、红旗塘、杭嘉湖北排工程等，在1999年的这场大洪水中都通过了检验，并发挥了巨大的作用。

# 大旱灾

# 55.1876—1879年中国罕见特大旱灾——“丁戊奇荒”

19世纪70年代，穷途末路的清政府在经历了暴风骤雨般的农民起义和此起彼伏的边疆危机之后，又遭遇了一次沉重的打击，这就是1876—1879年的大旱灾。这次旱灾及饥荒以1877年和1878年两年最为严重，由于这两年的阴历干支纪年属丁丑、戊寅，所以时人称之为“丁戊奇荒”。

从1868年到1875年初，华北平原连续7年雨水过多，而从1875年阴历四月开始，久不下雨，旱情初显，至秋初，旱情已从直隶扩大到山东、河南、山西以及陕西等省。

1876年，旱灾的范围进一步扩大，同时旱情也更加严重，以直隶、山东、河南三省为中心，形成了北至辽宁、西至陕甘、南达苏皖、东濒大海的广大旱区。更为严重的是，在大部分旱区，蝗灾接踵而至，把本已经奄奄一息的庄稼啃食殆尽。在这一年的旱灾刚刚开始时，受灾最严重的山西、直隶、河南等省就出现了大量饥民，这年夏季仅河南省开封一地依靠赈灾粥厂活命的就有7万多人。在旱灾边缘地区，情况也十分糟糕，苏北许多地方往往是十家只剩下两三家，其余人大多逃往苏南经济较为发达的地区，仅苏、松、太等地就聚集了流民近10万人。一时间苏北、皖北到处都是逃荒的人群。

1877年春天，整个山西省滴雨未下，至夏季，虽然个别地区下了一些小雨，但对于久旱的农田来说几乎没有任何作用。全省只有大同、宁武、平定、忻州、代州、保德等几处的部分田地偶有收获。河南省的旱情比山西省情况略好一些，部分地区小麦尚有一半收成，但入夏以后，干燥异常，一直到立秋以后，全省几乎滴雨未降，大部分农田枯黄得连禾苗都没有了，只剩下龟裂的土地。

随着旱情的加重，民间少量储备粮食逐渐耗尽，饥荒日益严重，受灾地区百物皆无，官民储备都已食尽，于是百姓只好吃草根、树皮、石粉，甚至人吃人。为了摆脱饥饿，人们用尽一切手段，但仍免不了饿死在家中、路边。

难挨的1877年终于过去了，无数饥民指望1878年能多下些雨，有个好收成，以结束这种非人的生活，但是饥饿并没有随之而去，反而日趋加重，人吃人的悲剧不仅没有减少，反而愈演愈烈。更为悲惨的是在旱情逐渐缓解时，瘟疫又开始了新一轮的摧残。这场瘟疫来势极其迅猛，席卷了大部分灾区的城镇和乡村，许多躲过饥饿的难民被瘟疫无情地夺去了生命。在灾情最严重的河南省，活着的人几乎是十人九病，饥民在瘟疫的魔掌下，除了听天由命外别无选择了。

晚清中国的城市流浪者

1879年许多地方才开始缓慢地从旱灾中解脱出来，重建家园的工作终于可以开始了。但是这样一场亘古未闻的奇灾，严重破坏了受灾地区的人口结构，在受灾最重的山西省，原本1 600多万居民中，死亡500万人，另外有几百万人口逃荒或被贩卖到外地。人口损失的同时，社会经济生产力也遭到沉重打击，许多灾民返回家园准备重新生产时已经一无所有，在饥荒降临时，所有的生产工具都被换成了粮食，牲畜也都变成了腹中之物。人们丧失了最基本的生产资料，要恢复生产又谈何容易！

这次饥荒持续了4年之久，几乎覆盖了山西、河南、陕西、河北和山东等北方五省，并且影响到苏北、皖北、陇东和川北等地区，造成了前所未有的大灾难，仅因饥饿而死的人数就高达1 000多万，高居世界历史上饥荒死亡人数榜首。

# 56. 1899—1900年世纪之交的中国大旱

在19、20世纪之交，八国联军攻破北京，然而，祸不单行，就在这一年国内不少地区都遭到了旱灾的打击，尤其是北方各省灾情最重。尽管这场旱灾比“丁戊奇荒”烈度稍逊，却也构成了中国近代史上一次相当严重的灾荒。

1899年年初就发生了全国性干旱，京、津、冀北、陕北、陇南、豫东、胶东、皖北以及广东均发生了旱灾。在这次干旱袭击中，仅有6万人的山西绛县有3万人死于饥荒；咸阳背街小巷悄然出现不设招牌、不挂旗幡的“人肉肆”；“旱乡之民壮者多逃难于外，老弱妇女四处拾槐头、扫蒺藜以食，树皮都刮尽……”。在这场干旱灾害中，总计死亡至少20万人。除北方地区灾情严重外，南方地区也遭遇了灾害。

龟裂无法种植的庄稼地

在这场旱灾中，陕西和山西两省的灾情更为严重，其中，陕西的灾情又相对更重，至少跨越了三个年份。1899年秋间，陕西就爆发了大面积旱荒，遭灾至少达45个州县。然而，清政府仅允许从该省厘金银中拨六七万两以办理赈灾，而且这笔赈款并没有真正落实，这更加重了灾情和人民的痛苦。

第二年，陕西灾情进一步扩大，成灾州县就有56个，饥民约为110万人。进入1901年后，陕西大部地区仍持续干旱。当时曾有报纸报道说：“西安饥荒，以西北为甚。正、二月来，无日不求雨，赤地千里。”到本年夏，陕西旱情虽说略有缓解，“然田亩之可耕种者，已不及五分之一，耕牛又皆不足于用，致三农等莫不愁眉双锁，有今冬难以卒岁之叹”。

同时，陕西灾情还因八国联军侵华战争而加重了：就在联军开始向京师进军后，慈禧携带光绪帝于1900年8月15日凌晨逃出京城，这就导致整个国家在一段时间内基本上处于混乱状态，也使国家的赈灾能力更加有限。况且，朝廷出逃的目的地恰好又是陕西，而其本身在某种程度上亦成为所经之地的额外灾难：“自太原以西旱，流徙多，而州县供亿，皆取于民，民重困。诏乘舆所过，无出今年税租。然大率已尽征，取应故事而已。武卫军又大掠，至公略妇女人军。”陕西又加以“江西、安徽两省入卫各军，皆言奉旨驻扎潼关，均已列营城外，不但市面拥挤，且恐圣驾到时未能肃静。值此荒岁，米麦柴草不遑兼顾”，这无疑是雪上加霜。

荒芜干裂的土地

发生在20世纪初的这次旱灾，人民之所以身处水生火热之中，除了在当时正处于外患情形下，腐败的清政府根本没有赈灾能力之外，就是政府长期忽视水利工程建设的恶果。我国古人早就提出这样的见解：“蠲赈仅惠于一时，而水利之泽可及于万世。”主张面对干旱，更应致力于发展水利，达到治标又治本的目的。这种防灾备荒思想，是我国古人实践的科学总结，在今天仍具有重要的借鉴意义。

# 57. 1920年中国北方大旱

1920年的中国，正处于军阀割据、内乱不断的时代，广大民众生活于水深火热之中，全国广大地区又出现了严重干旱，黄淮海平原、长江中下游沿江地区、汉水流域和东北中部、内蒙古东部地区都出现严重旱情。

1920年自开春以后，河北省大部、山西省东北部、陕西省大部、河南省北部以及山东省西部，久旱不雨，对春旱已经习以为常的北方农民，等待着雨季的到来。然而，到了夏季，雨水依然十分稀少，出现了严重旱情。后据观察资料统计，受旱地区年降水量较正常年份偏少20%～70%；农作物生长期（5—9月），降水量较常年同期偏少40%～70%。干旱的中心在北京、天津和河北一带。

在天津，不但出现旱灾，虫灾也显现，农田不能耕种，蓟县还出现了蝗灾。当年11月20日北京《益民报》报道北京四郊饿冻死者已有4 200人，奄奄一息者，不计其数。河北省唐山地区和沧州地区大部分受旱，旱区一片赤地，寸草不长；衡水地区"交河、献县，河间大旱"，保定地区入春以来久不下雨，无法进行春播，保定一带仅有的麦苗也发生虫灾，以致大半枯死。受灾各县，颗粒无收，人们不得不以食草根树皮为生。河北省受灾达85县，灾民800多万人，仅直隶5县被卖灾童就有5 000人以上。在山东，齐河遭遇数百年来未有的大旱，定陶全境大旱，遍地赤土，人食草根树皮。在山西，20余县大旱，灾民40余万人外出逃荒。在陕西，"商南两季不收，十室九空"，即使是富人也难免被饿死。陕北地区灾情严重，从延长到洛川、宜君、铜川一路寂无人烟。在新乡、彰德车站，一有火车停

缺衣少粮的灾民

西北地区干旱龟裂的土地

站，饥民即蜂拥而上，求钱求食，哀号之声，令人心碎。

这次北方大旱，除遍及华东数省外，还波及湖北、江苏、辽宁、吉林等省。河南灾荒，以彰德最重。当时正处隆冬，又遇天降大雪，北风凛冽，寒冷彻骨，饥民冻死饿死者不计其数。然而，在此盘踞的军阀，非但对灾情视而不见，反而加紧向民众敲诈勒索，大放高利贷，规定借贷者必须以田产作抵押，每借一百元，十个月为限，期满还款两百元，如期满不能偿还，田宅即归债主所有。

在 1920 年大旱面前政府无能，民众自发掀起赈济热潮。在北方重灾区的一片呼救声中，最早发起赈济活动者是被五四运动激励起来的教育界人士。北京大学、清华大学师生组织起来，筹集捐款，奔赴灾区，救济灾民。演艺界著名人士也发起赈灾义演，为赈灾募捐。

1920 年发生在我国北方 5 省的旱灾，酿成极其严重的灾情。其主要原因就是，1920 年的旧中国没有一个真正代表广大人民利益的政府，既不能在旱情未现之前组织民众发展水利、储粮备荒，提高抗灾自救能力，也不能在旱情出现之后组织民众进行抗旱保收抢种，更不能有效组织起赈济活动。而新中国成立后的 1972 年、1980 年和 1989 年则在中国共产党的领导下，积极兴修水利，组织人民群众奋起抗旱，又多次开展对灾民的赈济和救助，使灾情得到有效的控制。

# 58. 1922—1932年黄河流域连续11年大旱

干涸的河床

黄河流域大部分地区属于干旱、半干旱地区，降雨量偏少，水土流失严重，所以，与水灾一样，黄河流域的旱灾，也存在着灾情重、频率高的特点。从1922年到1932年，黄河出现连续11年的枯水期，从黄河中游开始，逐年向东、向南扩展；经过1922年到1928年6年的干旱肆虐，已耗尽了民间和政府的粮食储备，在1929年到1932年旱情骤然加剧，造成了特别严重的灾荒。

1921年夏、秋，旱情首先从山西南部和陕西北部府谷、澄城一带开始，引起局部地区夏、秋两季歉收。紧接着，1922年至1925年，黄河上中游每年都出现局部旱灾，流离乞讨的贫寒农户越来越多，但农户们仍企盼着来年旱情有所缓解，可以收些庄稼，以度灾荒。然而，1926年至1927年旱情非但没有缓解，受灾面积却显著扩大，连片旱区扩展到整个黄河上中游地区，其中以甘肃、宁夏旱情尤重。但人们还是不愿离开家乡，企盼着天降甘雨。

然而，人们企盼来的仍然是夏、秋季烈日炎炎、干旱无雨的一年。1928年是黄河流域自有实测水文气象记录以来最干旱的一年。陕县全年降水量218 mm，为多年平均值的42%。而甘肃兰州全年降水量仅有100 mm，为多年平均值的30%。黄河流域从湟水、大夏河以东至豫西的广大地区，各地区普遍自春至夏无雨，麦子枯死，颗粒无收，伴随着大旱的还有蝗虫和冰雹。旱情最重的陇东、关中、陕北一带，水井干涸，泾、渭、汉、褒诸水夏间断流，车马都可以在河道通行。农民既不能春播，也无法夏种，人们在企盼中陷入了更加惨烈的饥荒。

耕牛、驴马都被杀光，狗、猫、兔、鼠都成了饥民们争相捕食的对象。成千上万的饥民，到田野里寻找树皮、草根充饥。被饥饿折磨得几近疯狂的人们，甚至把捕食充饥的目光盯上自己的同类，频频制造出人相食的惨剧。

面对日益严重的灾情，国民政府于1929年初成立了赈灾委员会，决议发行赈灾国债一千万，与此同时，不少民间义赈组织也纷纷开展赈济活动。然而，这些赈济措施，面对数量庞大的饥民，就犹如“杯水车薪，聊以点缀”，根本无济于事。1929年5月6日《大公报》刊登这样一段文字：“陕灾情愈重，饿殍载道，腐尸累累，春雨失时，生计断绝，仅西安一隅，日饿毙数十人，市面死尸，触目皆是。赈务会每日收到灾民饿死照片，盈千累万。陇县铁佛寺村本有住户60余家，现已绝户10家，死亡40余口，活埋妻者10余人，逃亡在外者20余口。八渡村本有48户，现仅存8户。”当时陕西全省有92个县受灾，流亡灾民78万多人，到4月共饿死近21万人。

这次黄河流域连续11年的大旱给人们带来了巨大的灾难。我们必须以史为镜，科学地分析在现今条件下历史特大干旱重现时可能出现的情景，通过对可能的灾情进行评估和预案研究，以指导今后特大干旱年的防旱减灾工作，避免历史悲剧重演。

陕西灾民拔草充饥

# 59. 1934年华东大旱

上海贫民在警察监督下领取稀饭粥

1934年华东、华北、华南三区及西南、西北部分地区都出现了比较严重的旱情，其中最为严重的是长江中下游的华东大旱。江苏南部大旱，南京河滨港汊大部浅涸。上海的高温酷热破了60年来的记录。太湖水涸，西湖见底。苏、浙、皖热魔一浪高过一浪，各地农田大旱成灾，颗粒无收；在高温中几千万人经历了烈焰般的炼狱煎熬。

当年，长江中下游地区入梅迟，出梅早，梅雨期不足常年的一半，雨量更是远远小于历年平均值。苏、浙两省特别是太湖地区的梅雨量仅及历年平均值的1/6，南京站1—7月的降水量317 mm，其中6、7月降水量66.8 mm，分别是历年平均值的5成和2成。加上当年气温奇高，蒸发量特别大，上海气温更是酷热无比，徐家汇天文台最高气温纪录不仅成为1873年建台60年来之最，而且创下了20世纪上海气象史上惊人的“百年之最”：全年气温在35℃以上的时间，自6月25日—8月31日期间，共有55天，7月12日出现历史上极端最高气温41.2℃。夏季6月、7月、8月降水量分别比多年同期（1873—1972年）均值偏少76%、76%、85%。酷热无雨的气候加剧了旱情。

旱荒使苏、浙、皖、赣、鲁、鄂等省旱区的农田干枯，米价暴涨，饥病交加，难民流离失所者无数。一时间，旱荒的报道成为《申报》、《大公报》等各家媒体报道的主题。

在上海街头，“柏油马路热近华氏140度……有霍乱发现，人力车夫在马

路上晕倒者不少。有苦力2人，不及救治而死。救护车终日不止”。在江苏，苏州暴热无雨，“城内饮料恐慌，水价日高”。在无锡，“太湖水涸，周围一二十里均成沙陆，昔日被湖水淹没陆沉之古城遗迹，近已发现”。在南京，“京市酷热，气温已打破京市30年来6月份最高纪录”。在浙江杭州，“河流多见底，水道航行已大半停止……”。在萧山，“因天气亢旱酷热，河水干涸，居民饮料不洁，时疫盛行，死亡相继”。

1934年旱荒不仅严重祸及苏、浙、皖、赣以及湖南、湖北，甚至长江上游的川、滇、黔接壤区以及豫、鲁、晋、陕等部分地区也为旱荒所波及。该年安徽全省灾民达870万人，为百年来未有之特大干旱年。江西省全省83个县除赣南6县外均受灾害，赣北灾情更是70年来所仅有，全省灾民774.5万人，受灾面积达180多万 $hm^2$。湖南省受灾68县，受灾田地154.9万 $hm^2$，其中受灾田地占耕地90%以上的有6县，占80%～90%的有18县。湖北省受灾39县，受灾面积120万 $hm^2$。

1934年华东大旱，加上当时正值国共战争高潮时期，战祸四起，尤其在长江流域各省均有工农红军的根据地，国民党政府全力围剿工农红军，对旱情不闻不问，除了当年的天气原因外，这也是导致灾情加重的原因之一。

# 60. 1935—1937年四川旱灾

1935—1937 年，四川中、东、北部旱情突出，特别是东部地区发生了数十年所未见的旱灾，其持续时间之长，受灾范围之广，灾情之严重实为该省罕见。

四川旱灾中的灾民

1935 年夏季，四川盆地中、东、北部已出现不同程度的干旱，特别是东部的万源、南江、梁山、邻水、大足、达县等，连续两月无雨，庄稼枯萎，秋粮所收无几，不足两成，旱情波及 36 个县。至 1936 年，由于夏季季风来得偏早，北方冷空气活动偏北，西风环流北移，加上青藏高原地形条件，使盆地上空空气增热，连续久晴不雨，盆地东部 5—8 月连旱 90～100 天。全省除成都以外，到处都有不同程度的旱情，受灾地区 102 个县，受灾人口占全省总人口的 3/4 以上。自 1935 年夏秋到 1936 年春，1936 年夏至秋冬，1937 年春夏又连

续干旱,亢阳无雨,井泉干涸,田地龟裂,许多地方人畜连饮水都困难。

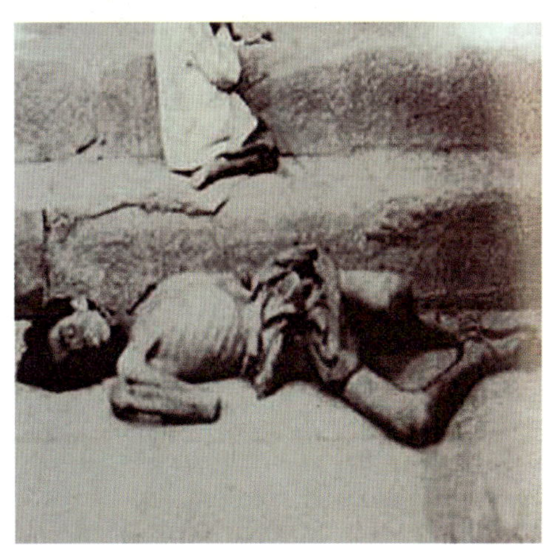

旱灾中饿死的灾民

在这 3 年连旱中,四川省全省受灾达 111 个县(市),灾民 3 000 多万。灾区的草根树皮被吃光,灾民们不得不采挖白泥充饥,饿死的人被填沟壑,幸存者四处逃荒。据记载:南江县两日饿死 2 000 人,万源全县人口灾后减少 1/3,綦江县人口原 50 万,灾后减至 37 万。《资中县志》载:“丙子(1936 年)米贵如珠。迨丁丑(1937 年),市场断五谷,原野无瓜果,哀鸿遍地,嗷嗷待哺者不可胜数也。”

## 61. 1941—1942年北方旱灾

拔草根、野草延命的一家

1942年全国大旱，旱区主要在华北、西北及东北地区。吉林、辽宁、河北部分地区及天津、北京旱情较重，黄河流域各省特别是河南省旱灾极重。

早在1940年夏秋，河南的北部就发生了干旱，1941年冬季少雪，1942年春夏秋全年又持续干旱，旱象一直持续到1943年夏天才结束。

1942年河南的年雨量比多年平均值偏少40%～60%。当时社旗池塘河流干涸见底，人和牲畜无水可饮，庄稼枯死，秋粮无收造成断粮；南阳大旱，高粱每亩仅收三四十斤，晚粮大部分没有收成；新蔡麦子被风摧残，损失惨重，麦收之后天不下雨，高粱枯死，棉花、大豆无法播种；太康麦子只收获二成，秋收不足一成；唐河大旱，庄稼几乎全部旱死，人们只得吃草根树皮，卖儿卖女，惨不忍睹。

黄河流域除河南重旱重灾外，山东大部分也受旱灾侵袭，德州春夏秋旱，聊城150天几乎无雨；甘肃省57个县受旱，东南部旱情更重；宁夏中南部固原等十多个县受旱；陕西全省干旱，以西部宝鸡、咸阳和汉中地区春季旱荒较重。1942年的大旱，给这些地区带来了巨大的灾难，在人们的心里留下了惨痛的记忆。

1942年的河南大旱，灾荒景象触目惊心，受灾范围之大，灾情之重，为历史所罕见。在黄泛区，野狗吃人吃得两眼通红，有许多还活着的人都会被野

狗吃掉。在郑州，更有不少乞丐掘食死尸充饥。河南全省，因饥饿而死者约在 150 万人以上，逃亡者在 300 万人以上，濒于死亡边缘等待救济者 1 500 万人。

1942 年旱灾之严重，降雨量少的自然因素固然是主要原因，但同时社会因素也是造成灾上加灾的重要原因。当时国民党政府内政腐败，又恰逢抗日战争进入最困难时期，国库空虚，财政拮据，无力赈灾。深受“水、旱、蝗、汤(恩伯)”灾害的河南人民大量逃荒到陕西、甘肃……结果留下来的人承受了更沉重的赋税负担，河南真正成为人间地狱！

1941—1942 年的中国大旱，对中国来说是惨痛的一年，对中国人民尤其是河南人民来说更是刻骨铭心的一年！

# 62. 1943年广东世纪大旱

1943年，广东大旱遍及全省，全省死亡几十万人，其中台山死亡15万人，潮阳、海门各善堂于莲花峰下收埋尸体1.1万具，被称为20世纪世界十大灾害之一。

1942年一开春，广东部分地区即严重缺粮，闹饥荒。夏季又无雨，秋季继续干旱，一直持续到来年开春还滴雨不降。春分后虽下了场雨，但到1943年4月又亢旱，旱象一直延续到立夏，连续干旱使溪流干涸，田地龟裂，禾苗枯死。特别是潮汕地区普宁、潮阳旱灾尤重。

加上1943年的广东，大部分地区被日军占领，广东人民遭受着日伪与旱魔的双重蹂躏。从广东到香港、澳门，一片饥荒，逃难、卖儿卖女甚至出现人吃人的惨景。当时的广东米价大涨。沦陷区大米从每市斗一二十元一下子上涨到三四百元，有些地区甚至涨到六七百元。粗糠、树叶、野菜、树皮、草根，凡是能下肚充饥的东西都成为争抢之食。甚至在台城龙藏里天瞬祠内，有饥民“把饥死者的尸体劈开取心脏来烹食”。许多灾民纷纷外逃，仅潮州地区就有10万灾民外逃求生。外逃者沿途乞讨，实在无法求生时，就只得卖妻卖子。在江西和广东交界的边境上，卖人论斤两，比卖猪卖狗还贱价，有些逃荒孩童，被坏人骗杀当狗肉卖给人吃。1943年潮汕逃荒者有十七八万人，加上灾荒饥死病死共达几十万人，使这一时期广东人口急剧减少。

广东的大旱和饥荒，迫使日益增多的饥民落草为寇，在灾区各县几乎都发生过抢米抢粮的风潮。国民党当局对抢米犯格杀勿论，而对趁世之危进行粮食走私或囤积居奇谋取暴利者的处理却十分不力。在此期间，广东省政府也曾采取措施，救灾赈灾，但仍根本无法控制饥荒的蔓延，广东全省在这场大灾荒中饿死、病死及逃荒者达300万人，约占当时人口的10%。

广东的大旱所造成的灾情之所以如此严重，给人民带来的苦难如此惨重，除了旱魔的肆虐外，其最主要的原因还是当时广东社会形势的恶劣。广东是中国的南大门，具有至关重要的战略位置，因此日本对之垂涎已久。

1943 年陆丰甲子镇 4 万居民死亡一半的惨景

从 1937 年 8 月 31 日起，广东经历了日本侵略军长达 14 个月的狂轰滥炸。这 14 个月的轰炸让广州昔日繁华热闹的商业街区破落不堪，成千上万的人民流离失所，广东许多城市都成了废墟。据估计，仅广州地区的战争损失就大约为 3.53 亿美元。在广州沦陷后，居民过着亡国奴的生活，极为悲惨。而当 1943 年广东大旱之时，日军更是疯狂地搜劫粮食作军饷，使广东的旱灾雪上加霜，劳动人民生活在水深火热之中，苦不堪言。

# 63. 1959—1961年全国三年连旱的大灾害

1959 年,全国出现了严重自然灾害,受灾面积达 4 463 万 $hm^2$,成灾面积 1 373 万 $hm^2$,成灾面积占受灾面积的 30.8%。与历年相比虽然并不算太高,但却集中在河南、山东、四川、安徽、湖南、黑龙江等主要粮产区,以上各省的受灾面积,占全国受灾面积的 82.9%。本年受灾人口为 8 048 万,超过 1949—1958 年平均数的 80%,春荒人口 9 770 万人,相当于 1949—1958 年平均数的 80%以上。

继 1959 年大灾后,1960 年全国大陆除西藏以外又发生建国后严重的旱灾,也是近百年少有的大旱灾。其受旱范围扩大到河北、河南、山东西部、陕西关中、辽宁西部。山东汶水、潍河等 8 条主要河流断流,黄河从山东范县至济南断流 40 多天。受灾面积达 6 546 万 $hm^2$,成灾面积 2 498 万 $hm^2$,受灾面积居建国后 9 年的首位。成灾地区人口 9 230 万,春荒人口 9 770 万,相当于 1949—1958 年十年平均数的 3.8 倍。

紧接着,1961 年全国又相继发生第三年特大旱灾。1961 年邯郸、德州、济南、菏泽和江淮平原旱情加剧。受灾面积 6 175 万 $hm^2$,仅次于上年,为建国后的第二位。成灾面积 2 883 万 $hm^2$,其中 1/4 绝收。成灾人口 16 300 万,超过上年。本年春荒人口高达 21 800 万,相当于 1949—1958 年各年平均数的 6.4 倍,占全国人口的 1/3 以上。

1959—1961 年三年连旱,确实是建国以来范围最大、程度最深、持续时间最长的自然灾害。正如周恩来总理 1960 年 10 月 29 日在中央政治局扩大会议上说的:"这样大的灾荒是我们开国以来所未有的,拿我们这个年龄的人来说,从 20 世纪记事起,也没有听说过。"

连续三年的严重灾害,使粮食大幅减产,平均减产率与后来的 1987—1989 年连旱三年的平均减产率虽大致相当,但对国民经济的严重危害,带给人们的伤害,却远远超过了 1987—1989 的三年大旱,成为人们记忆中永远不能忘却的"三年困难时期"。究其原因,除了严重旱灾埋下的祸根外,还有脱

陕西省蓝田县干旱河涸，稻田龟裂

离实际、好大喜功、狂热浮夸和强迫命令等不良作风以及中苏关系恶化、政府以粮折价、偿还债务等人为性的重大影响。

虽然在三年困难后期，各级地方政府在中央的统一部署下，采取了解散公共食堂、减少粮食收购数量、给农村社员留够自留地、退赔无偿平调的物资等休养生息的措施，但还是造成了千万人的非正常死亡。中国科学院的一份国情报告中曾经指出："三年困难时期，因粮食大幅度减产，按保守估计，因营养不足而死亡约 1 500 万人，成为本世纪中国最悲惨的事件之一。"

三年困难时期是不能忘记的，它是中国人民心中永远的痛。我们一定要牢记这一血的教训，一切从实际出发，为人民谋福利！

# 64. 1959年巴西历史上最严重的旱灾

1959年初,巴西的形势异常严峻。由于干旱使成千上万忍饥挨饿的农民涌入城市的大街小巷。商店和店铺关门,市场空空如也,城里人插上门呆在家里。无家可归、饥寒交迫的农民一个个在大街上倒下来。福塔莱萨市仅一周就饿死400个儿童。

巴西东北部地区的草原经常发生旱灾,有些地区连年出现旱情。沙漠化引起的草场退化,使适于牲畜食用的优势草种逐渐减少,甚至完全丧失。牧草变得低矮、稀疏,产量明显降低,草场载畜能力大为下降。1959年发生的旱灾使巴西东北部地区的牧民和农民遭受了惨重的打击。塞阿拉州250万人遭受干旱,农业遭受的损失共计100亿克鲁赛罗(巴西货币名)。干旱夺取了他们洒满血汗的土地,迫使他们背井离乡,流离失所。许多地方因沙漠化趋势导致土地退化,土壤结构破坏,养分流失。

1959年前,巴西的某些内陆地区近7年没有下过雨。特大旱灾及干涸的河流改变了巴西东北部地区的地貌。大片土地长满了浅色落叶矮灌林——被称为白林。这种灌木林是一片片带刺的沙漠植物,其茎部和根部尚有水分和营养物质。灌林的土壤通常坚硬贫瘠。无雨季节里,巴西东北大部分地区变成了炙热的荒漠,有些地区零星生长着仙人掌,虽然仙人掌等植物耐高温,但仙人掌的刺已经被晒焦。沙漠化造成河流、水库、水渠堵塞。所有河流枯竭后,

旱灾中死去的牲畜

树木成了一片棕色墓地，石头被晒得如同烧热的木炭可以烧伤脚掌。晒干的草和树木燃烧起来，着起大火。此时人们只能到谷地去避难。谷地地势低，由于土壤下层是黑土质，能够储存大量的水，所以这里即使夏天也不缺水。

树木干枯

在谷地里，巴西人挖掘了水井，它是人们宝贵的生命之源，就连住在遥远地方的灾民也到这里来取水。然而1959年发生的旱灾将这些奇缺的绿洲也破坏了。塞阿拉州饥荒肆虐，干旱致使庄稼减产甚至是绝产，人们生活所需的最基本要求得不到满足，纷纷因饥饿而死亡，其惨景不堪入目，道路上处处可见奄奄一息的饥民。

水与经济社会的发展已成为全球性的问题，水资源的紧缺已引起了全世界的广泛关注。进入21世纪，水的问题越来越重要，促进水资源的可持续利用已成为世界各国共同的心声。如何解决水资源供应问题，保持水资源供给和需求之间的相对平衡，世界各缺水国家和地区长期以来都做了大量的探索。一些发达国家或者比较发达的国家已取得了很多成功的经验，概括起来，主要是三个方面：一是采取积极的措施，通过区域调水解决地区之间水资源分布不均问题；二是通过科学管理维护水资源的供需平衡；三是开发和采用各种节水技术。

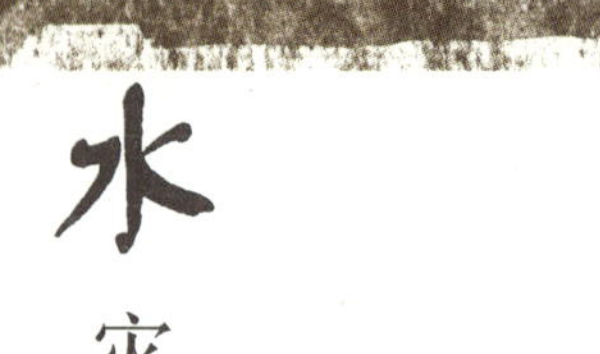





# 65. 1963年中国南方大旱

广西从1962年10月至1963年9月持续无透雨，桂林、柳州、河池均发生了近百年来所罕见的大旱，全区受旱面积达155.2万 $hm^2$，其中成灾面积67.1万 $hm^2$。广东省1963年1—5月各地雨量均不足300 mm，比常年偏少5成以上；珠江口以东的南部沿海不足100 mm，比常年偏少8成以上。海丰、汕尾、惠阳等地降雨不足常年同期的1/10。各地受旱日数均在100天以上，东南部及珠江口达200天以上，深圳、惠阳等地近240天，台山、五华旱期为280多天。这次持续的旱灾使广东省108个县(市)遭受不同程度的旱情，全省受灾面积达123.5万 $hm^2$，占播种面积的46%，其中成灾面积45万 $hm^2$，绝收面积9.4万 $hm^2$，约有100万人发生饮水困难，是新中国成立以来历时最长的持续干旱。

面对大旱，各级领导十分重视，尤其是各基层区县水务部门积极对抗旱工作进行部署和动员，清醒地认识到抗旱工作的重要性、紧迫性，并立即行动起来，全力以赴抓好抗旱灌溉，开动一切灌溉设施投入抗旱。同时，广泛发动群众，挖掘水源潜力，组织人员集中时间及时对各小型水利工程设施进

大地被晒得开裂

行检查和抢修，保证各类灌溉设施发挥最大效益。此外，各级领导还深入前线，加强对抗旱工作的检查指导，计划用水、科学用水，采取节水灌溉措施，推广节水灌溉机具，使有限的水资源发挥最大效益；充分利用井、渠、库、站、塘、坝等现有水利设施，加快灌溉进度。各区县水利部门、各灌区管理单位和水库管理单位充分利用现有水源，加强用水调度，确保抗旱用水。充分发挥各级抗旱服务队作用，组织各级抗旱服务队集中全部人力和设备，深入田间地头，实施流动浇灌、机泵维修、抗旱设备供应和抗旱技术指导等抗旱灌溉服务，指导群众灌溉，最终战胜了旱灾，保卫了人民的利益。

粤西干旱严重，农田龟裂，作物枯死

这次抗旱之所以能取得最终胜利，水利工程对减轻旱灾影响发挥了重要作用。当时已经建成的水利工程发挥了突出的作用。在各项水利设施集中投入抗旱救灾的同时，各地又采取封江堵河、打井挖塘、增加抽水设备、增加水源、加强用水管理、节约用水等多种应急措施，使全省75%的农田及时插下了秧苗，缓解了旱情，减轻了灾害。这与1943年广东大旱成灾，饿死、病死、逃荒落魄者达300万人，形成了强烈的对比。尽管1963年新中国才成立不到15年的时间，但兴建的大批水利工程和组织起来的有效抗旱救灾，大大减轻了灾害程度。

对于受东亚季风气候明显影响的我国，降水量年际和季节变化很大，水资源地区分配不均，旱灾的发生是不可避免的。旱灾造成的危害不可能被消除，但可以减轻，防旱减灾是我们的一项长期战斗任务。我们要在分析和把握旱灾形成的规律的基础上，及时研究新情况和总结新经验，不断提高我国防旱减灾能力，加快我国各地区水利设施的建设，以应对自然灾害的考验，把干旱灾害的危害程度降到最低！

# 66. 1972 年黄河、海河流域大旱灾

1972 年是新中国成立以来全国大范围、长时间严重干旱少雨的一年。重旱区主要在海滦河、黄河流域，东北地区，淮河、珠江、太湖流域亦有不同程度的旱情，该年全国受旱面积 3 070 万 $hm^2$，占播种面积的 1/5，许多河流断流，地下水位下降，水库干涸，粮食大幅度减产。

即将干涸的水塘

1972 年北方地区除黑龙江、新疆外，大部分地区春季干旱少雨，入夏后又持续干旱，形成春夏连旱。旱情严重的海河流域，年降水量比多年均值偏少 20%～40%。黄河流域年降水量比多年均值偏少 22%，各地区春季降水较常年偏少 2～5 成，汛期降水较常年偏少 3～5 成。1972 年降水量比多年均值偏小 20%～29%，旱区在降水量偏小的同时，各地区蒸发量却增加，大部分地区蒸发量高于常年一二成，严重地区甚至高于常年四五成，因此使农田干旱的情况更趋严重。

该年严重干旱地区海滦河山区年径流只有 98.4 亿 $m^2$，比常年减少 56%，是新中国成立以来最小的一年。不少大型水库在死水位以下运行甚至干涸。春旱以后，天津市海河来水量只有 2.9 亿 $m^3$，相当于 1950—1957 年同期平均来水量的 1/34，1965—1976 年的 1/6。汛期未过，各河系均相继断流，海河水位大幅度下降。北京地区的官厅、密云水库来水量大减，1971 年 6 月至 1972 年 5 月，两库来水比多年均值减少一半，库水位降到历史最低

点。济南以下黄河断流 20 天，河道断流长 310 km，入海年均流量为 700 $m^3/s$，比常年减少 39%，该年是黄河下游现代自然连续断流的第一年。汾河断流达两个月之久，全省共 43 座大中型水库，有 24 座空库，19 座蓄水位低于死水位。

1972 年全国大面积久旱少雨，农作物严重减产，人畜饮水供应极度困难。据统计，全国农田受旱面积 3 070 万 $hm^2$，受灾人口 7 825 万，减产粮食 1 367 万 t。其中重旱区的黄河流域，受旱面积 437 万 $hm^2$，受灾人口 1 750 万，减产粮食 229.3 万 t，分别占播种面积、农业人口、正常产量的 31.2%、28.6%和 11.4%。另一个重灾区海河流域，受旱面积 408 万 $hm^2$，受灾人口 1 372 万，减产粮食 303 万 t，分别占播种面积、农业人口、正常产量的 34.8%、19.0%和 11.1%。

1972 年第一次出现了黄河下游现代自然连续断流，黄河作为中国的第二大河，是华北和西北地区的重要水源，为全流域的城市生活和工农业生产、经济发展提供了重要保障，因此黄河的断流对人民的生活和生产都不可避免地带来了严重影响，这必须引起我们的重视，我们必须结合实际为保卫黄河、保卫祖国的自然环境而努力奋斗！

河南省卫辉市塔岗水库干涸

# 67. 1973年萨赫勒地区大旱

1973年在萨赫勒地区——萨哈拉南部地区，呈现出一片可怕的景象：患佝偻病的孩子挺着由于饥饿肿大了的肚子，随处可见饿死的尸体和奄奄一息的人们，周围苍蝇满天飞，苍蝇吸吮着无助的人们的血。

旱灾的降临没有明显的先兆，悄然袭来。不是发生了什么超自然的事情——只是没有雨水。

萨赫勒地区出现干旱死亡之前，已经有整整5年没有降过雨。1973年也没有降雨。

伴随着干旱的便是饥荒。人们一贫如洗：没有牛奶、没有脂肪、没有油类、没有粮食。庄稼被晒死，奶牛和羊群在晒焦了的牧场上找不到食物，每天有成千上万只牛羊死去。埃塞俄比亚的沃洛省每天都有200人左右饿死，确切的死亡人数不详。此外，沙漠的沙土不断侵袭着已经开垦的土地。

干旱一直危害着居住在沙漠附近的人，那里农作物离开雨水就无法生长。南非1973年前300年内未发生过大灾难，但是1973年初便死去上万头牲畜，后来地里的庄稼也枯竭了。像赞比亚和津巴布韦这样的国家可能已经彻底沙化。

土地沙化正急剧缩减着萨赫勒地区可以有效利用的国土。许多地方因沙漠化趋势导致土地退化，土壤结构破坏，养分流失。而且沙漠化对农业的危害特别大。沙漠化引起的草场退化，使适于牲畜食用的优势草种逐渐减少，甚至完全丧失。牧草变得低矮、稀疏，产量明显降低，草场载畜能力大为下降。萨赫勒——苏丹地区人为活动导致了沙漠的扩张，主要原因有农牧交界地带的开垦；过度放牧或牲畜管理不当；乔灌木的过度采伐利用；不负责任地任意烧毁植被。这和我国常说的所谓滥垦、滥牧、滥伐之“三滥”是一致的。

面对这一现实，世界上许多国际组织和有识之士都在努力探索促进水资源可持续利用问题。各国政府尤其是各国各级水行政主管部门始终把解

决这一问题作为自己的崇高职责和首要任务。例如目前，我国开展的水权、水市场的研究，就是想通过对这一理论的探讨，推进我国在市场经济条件下建立起比较完善的水权制度，建立起政府宏观调控、民主协商而又符合市场规则的水权流转机制，规范与水有关的权利、责任和义务，实行水资源有偿使用，做到合理开发，注重节约，切实保护，有效利用，优化配置，以实现水资源的可持续利用。

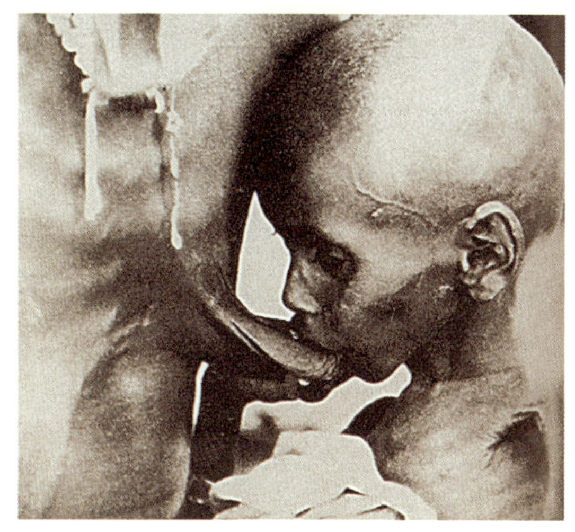

灾荒中的母子

虽然地球71%表面覆盖的是水，但是淡水资源其实只占了地球总水量的2%左右，而可被人类利用的淡水总量只占地球上总水量的十万分之三，占淡水总蓄量的0.34%。由此可见，地球上可被利用的水并没有人类想象的那么多，如果让其继续遭到人类的摧残，早晚有一天，它会消失的。因此，我们应该保护水资源，为社会经济的可持续发展尽到自己的一份力量。

# 68. 1978年江淮特大干旱

1978年出现的全国性大旱年，是1949年以来的特大干旱年。1978年春夏，纬向环流盛行，西风带锋区偏北，梅雨期只有7天；出梅后，在伏旱期，副高压位置稳定偏北；加之该年台风强度偏弱，登陆位置偏南，这样一种环流形势对江淮地区降水非常不利，形成前期春旱、中期夏旱、后期秋旱并发的江淮大旱年。旱情同时波及北方东北、西北、华北和新疆、山东等地区，遭遇了新中国成立以来全国性的严重干旱年。

淮河河道径流锐减，洪泽湖干涸

1978年，长江中下游和淮河流域均形成春夏秋连旱的局面。而在降水量减少的情况下，蒸发量却普遍较常年增加5%～20%，其中7—8月蒸发量较常年偏高1～4成，由此导致河川天然径流量大幅度削减。干旱区的中小型水库因来水少、引水多，蓄水耗尽，库干塘涸。长江中下游地区3月即出现旱情，4月各地降水比常年偏少3～8成。作物关键生长期的7—8月降水偏少4～6成；到了10月，中下游还有80%的地区降水偏少3～5成；淮河流域3月份降水比常年同期偏少2～4成，4月偏少7～9成，5月偏少3～6成，7—9月偏少5～6成。这次大旱的发生时值农作物生长需水的关键时节，故对农作物的生长带来了极为严重的损害。

该年受旱最严重的是江苏省，其受旱率（以占耕地面积计）达68%，安徽、四川、湖北3省的受灾率达30%～50%，湖南、陕西、山西、山东、河南、内

蒙古、黑龙江等省区的受旱率达20%～30%。农村特别是山区农村的人畜饮水都发生了严重的困难。

据全国28个省统计，全国受旱面积达4 017万 $hm^2$，粮食减产2 005万t，受旱人口7 905万。

1978年这次的全国大旱与1961年、1962年等大旱相比，之所以旱情严重而灾情却相对较轻，主要是这次的主旱区所在的长江中下游和淮河下游地区农田水利建设基础好、抗旱能力较强。在这一年抗旱中，水利设施的作用十分显著，各种固定机电泵站、临时泵站、流动机泵等有机配合，及时提取江河、湖、库水、地下水，通过引、提、蓄等措施解决水源问题，发挥了很好很及时的灌溉作用，最终战胜了旱灾。该年除江苏省外，上海、浙江、湖北、湖南等省由于抗旱能力较强，粮食较1977年还有所增加。

水是人类社会赖以生存和发展的不可替代的资源，是人类社会可持续发展的最基本条件之一。我国是一个水旱灾害频繁、水资源短缺的国家，水的问题尤为重要。我们除了要积极建设水利设施外，养成和增强节约用水的习惯和意识是十分重要的，人们的节水意识、节水习惯，是节约用水重要的社会资本，因此要保护好我国的水资源，除了建立合理的水价制度以制约浪费现象外，培养人们的节水意识和节水习惯意义更重大。

# 69. 1980—1982年北方大旱

1980—1982年是我国西北部大面积连续大旱之年，旱情严重地区主要在黄、海河流域的河北省、京、津地区及甘肃、山西、陕西、河南等省，向北波及内蒙古及东北三省，向南延伸到长江中游，可以说这是新中国成立以来我国北方发生的最严重的3年连续大旱。

海河流域1980年、1981年、1982年年平均降水比多年均值分别偏少20.5%、23.4%、7.2%，其中以海河北系及其相连地区雨水最枯。

黄河流域1980年、1982年年平均降水比多年均值分别偏少10.9%、6.7%，1981年接近正常年，但甘、晋、陕地区偏枯。

1980—1982年3年连旱，造成全国受旱面积分别为2 611万 $hm^2$、2 569万 $hm^2$、2 070万 $hm^2$，受灾人口分别为7 439万、9 386万、8 561万，粮食减产分别为1 454万t、1 854万t、1 984万t，这是新中国成立以来我国北方发生的最严重的3年连续大旱年组。

黄河流域3年平均受灾面积为388万 $hm^2$，成灾面积278万 $hm^2$，绝收面积46万 $hm^2$，受灾人口1 636万，减产粮食299万t，3年大旱所造成的损失居历年之首。

甘肃省1981年全省受灾面积117万 $hm^2$，受灾人口521.8万，减产粮食124.12万t，农业经济损失4.07亿元。1982年旱情更重，有74个县受灾，全省受灾面积126万 $hm^2$，受灾人口551.98万，减产粮食131.45万t，农业经济损失4.31亿元。全省每年出动千辆汽车长途运水，有的往返130 km，仅国家用于运水的经济损失就近1亿元。

北京市1980年粮田受灾面积25万 $hm^2$，其中成灾9.7万 $hm^2$；1981年受灾面积19.6万 $hm^2$，成灾面积6.7万 $hm^2$；1982年受灾面积12.9万 $hm^2$，成灾面积2.24万 $hm^2$。1980年山区饮水困难村庄210个，1981年增加到500多个，1982年山区人畜饮水困难的村庄又新增532个。3年总计有22.72万人和6.05万头大牲畜相继出现饮水困难。

随着旱情的延续和发展，北京城市供水也日显困难。为保证首都用水，官厅、密云两水库首先于1981年6月开始停止向农业供水，而后又不得不在1981年8月停止向天津供水。

国务院对京、津出现的水危机十分重视，决定从黄河人民胜利渠、潘庄、位山3个引水口引水入津以解燃眉之急。1981年12月22日，引黄济津输水工程胜利完成。豫、鲁、冀3省人民立足全局，作出牺牲，让水入天津。由于黄河水的及时输送，天津市终于度过了数十年不遇的水荒。

河北大片稻田苗死地裂

黄淮海平原同属缺水地区，历史时期持续干旱发生时，海河与黄河流域往往同时出现大范围的重旱。而一旦海河、黄河两个流域同时出现持续重旱，若干旱范围再向淮河和长江流域扩展，那么北京、天津等中心城市的缺水危机将难以从外流域调水得到解决。因此，对这种情况必须引起我们的重视，及早采取措施和部署。

# 70. 1983—1985年非洲近代史上最大干旱

1983—1985年，整个非洲大陆出现了20世纪以来最大的一次干旱和饥荒。这场灾难始于西非大旱，随即迅速蔓延到整个萨赫勒地区，以及非洲东部和南部地区，形成全洲性的大旱灾。联合国称这次的大旱为“非洲近代史上最大的人类灾难”。

在这次灾难中，塞内加尔8个大区普遍受到干旱的袭击，导致粟和高粱的产量比往年减少了26万t，这一数字接近正常年产量的一半，有两个大区缺粮率高达94%。北部和中部的主要作物花生几乎全部枯萎，曾经占全国花生产量70%的辛萨卢姆地区花生减产近一半。

位于非洲东北部的埃塞俄比亚是受灾最严重的国家，其受害范围之广，影响之大是前所未有的。全国14个省中有一半的省份被列为重灾区，102个县中有95个县遭灾。全国不足4 600万人口中有900万人生活在饥饿和死亡的阴影之下。

有“非洲玉米粮仓”美称的津巴布韦受旱灾影响而粮食歉收，西南部200万居民因此生活在粮荒的阴影之下。博茨瓦纳中部和南部地区降雨量只有正常年份的一半左右。

在干旱与粮食减产之后，饥荒就随即而至，其惨景难以一一描述。塞内加尔的国土上遍布着牲畜和人的尸体，仅牲畜饿死就达150万头；津巴布韦有30万头牛被饿得已经难以食用；苏丹到处都是饿得奄奄一息的饥民，坐在路边等待死亡之神的降临……

1984年联合国秘书长德奎利亚尔在访问了埃塞俄比亚灾区后说：“看到这些饱受饥饿和苦难的面孔，人们必定会更强烈地感受到人类团结的必要。”为保证能够对受灾国的紧急事态做出及时有效的反应，联合国临时成立非洲紧急行动处，讨论如何对旱情最严重的20多个非洲国家提供紧急救援的问题。

最终在国际社会和世界人民的共同努力下，非洲有数百万人幸免于难，

从而避免了一场更大的悲剧。1986 年随着雨季的正常到来，干旱和饥荒逐渐缓解，但是许多地区沙漠化的进程却因为这场旱灾而大大加快了，许多过去是良田和牧场的地方，灾后变成了漫漫黄沙，由此而引发的粮食减产使这些地区陷入粮食恐慌之中。人口大量死亡也是这场灾难的主要恶果之一。这些独立不久的国家虽然摆脱了政治上的枷锁，但要在经济上真正富裕起来，还是任重而道远。

灾难虽然过去了，但几乎每个人心中都清楚地意识到，这样的悲剧并没有真正结束。非洲依然处于一种难以想象的贫穷之中，部族冲突和军事纷争层出不穷，政府中的腐败行为更是不胜枚举，自然界也没有因为人类的困难而变得温和一些。可以说，沙漠化在非洲的影响不仅几十年内难以消除，而且在 21 世纪也可能是困扰非洲发展的一个主要问题。如果不能遏止或是缓解沙漠化进程不断加剧的趋势，未来非洲的命运很可能成为人类历史上最悲惨的一段记载。

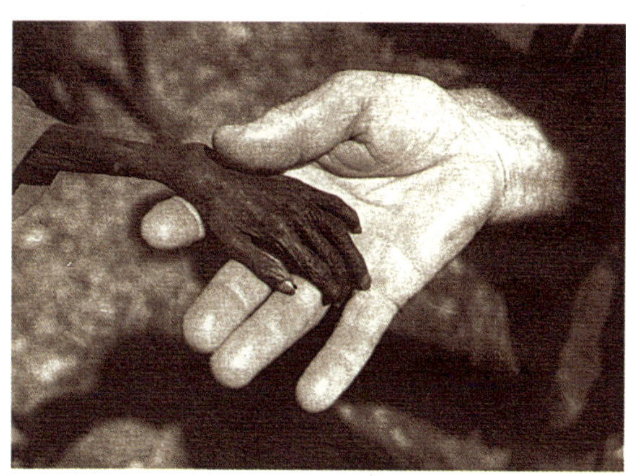

饥饿中孩子的手

# 71. 1988年中国大旱

1988年，中国主要农业粮棉产区发生严重干旱。旱情波及南北27个省区，该年全国受灾面积为290.4万$hm^2$，成灾面积1 530.3万$hm^2$，受灾人口1.323亿，减产粮食3 116.9万t，是新中国成立以来继1959—1961年连旱和1978年特大干旱后的又一次全国性重旱年。

旱灾造成了一些主要江河水量锐减，水库干枯，河道断流。淮河水量偏少7～8成。河南全省15座大型水库总蓄水量减少到近10年最低值。除河南省外，山东、江苏的湖泊蓄水量出现历史最低值。洞庭湖水量偏少4成，珠江支流西江水量偏少5成。

1988年旱灾造成人畜饮水困难，据苏、浙、皖、鄂、桂、川、黔、琼、鲁、晋、陕等12省区统计，因旱饮水困难人数达3 463万人，其中南方达2 576万人，占总数的74%。

山区群众吃水困难

冀、鲁、豫、晋、陕5省开动机电井实灌农田面积1 480万$hm^2$。鲁、豫引黄水量113亿$m^3$，抗旱浇地136万$hm^2$。湖北省广聚水源，引提灌溉水量134亿$m^3$，灌溉农田180万$hm^2$。为有效地抗旱减灾，中央各部门为24个省区增拨特大抗旱经费10 790万元、柴油

27.55 万 t、汽油 2.37 万 t、化肥 23.15 万 t，以及其他大量抗旱物资。在抗旱减灾中水利设施发挥了显著的作用。

我国是水资源贫乏的国家，人均和单位耕地面积平均占有水资源量都显著低于世界平均水平。进入 20 世纪 80 年代以后，水资源紧缺的程度更趋突出。农业是用水大户，然而我们却面临着农业灌溉水量的有效利用率低造成很大浪费的现象。以大旱的 1988 年为例，该年灌溉水量的有效利用率只有 35%。我国农业用水水平与世界先进水平相比还有相当差距，农业用水浪费严重。1988 年的大旱所显示的灌溉用水浪费所造成的损失是巨大的，而要解决这一严重问题的关键在于灌溉技术的改进和提高，更重要的是要进行制度变革，促进节约用水，减少浪费水的现象。

同时，要培养人们的环境道德观念，培养人们的节约意识、节水习惯，避免中国水资源环境进一步恶化。另外合理使用水也十分重要。要使人们合理使用水，就需要给人们以经济上的激励。适当的水价，是重要的激励机制。只有在水价适当的情况下，人们才会对水有成本约束概念，才会对节水措施进行适当的投资。

总之，培养节约用水的习惯，为自己的子孙后代留下必需的生命之源，是我们的职责和当务之急！

# 72. 1989 年中国北方大旱

河道干裂

1989 年我国北方发生了大范围干旱，有 14 个省区发生严重干旱，其中重旱区有 8 个，极旱省区 6 个。在极旱省区中，以东北三省和山东最为严重，其次为内蒙古和河北省。此外，新疆和山西、陕西等省区旱情也比较严重。东北三省等北方重旱区在上年秋冬旱的基础上，又遇严重春旱，耕地不能适时春播，入夏后又严重缺雨，使农作物的生长受到了严重影响，各省的农业受到了极大的摧残，人民的生活和生产受到了严重的考验。

1989 年大旱的主要灾区东北三省，是我国商品粮的主要产区，也是我国重要的基础工业区。而与全国先进地区相比，这些地区的水利基础设施相对较差，抗旱减灾能力比较薄弱。在三省的西部旱作区，主要采取坐水点种抗御春旱。1990 年黑龙江、吉林、辽宁三省的耕地灌溉率分别为 12.2%、22.6%、30.6%，三省平均为 21%，比全国平均耕地灌溉率 50%低了大约 29%。一遇严重旱年，就造成粮食大幅度减产。据统计，1989 年三省粮食减产率高达 27.5%，其中松花江流域部分地区粮食减产率高达 34.8%。这不仅给当地人民生产、生活带来损失，还影响了国家商品粮的调拨和供应。

从 1989 年东北三省灾情可以看出，该区耕地灌溉率低是大旱年大幅度减产和导致粮食生产不稳定的一个重要原因。

从另一个方面看，黑龙江、辽宁、吉林三省的城市建设和工业生产发展较快，生活和工业需水随之有较大幅度的提高，在地区供水能力不足和生活、工业优先安排供水的条件下，水资源在城市生活、工业和农业之间重新分配导致的结果，往往使原有的农业用水被挤压和削减，这在一定程度上更加重了农业干旱灾害。

东北是我国著名的“粮豆谷仓”、全国最重要的商品粮基地，这与东北土地资源丰富是分不开的。本区现有耕地面积约占土地总面积的 26%，人均耕地为全国平均水平的两倍左右，全区每一农业劳动力负担耕地 24 亩，黑龙江省则达 35 亩（全国每一农业劳动力为 5 亩），是我国人口少、耕地多的地区。作为我国重要商品粮产区和重要工业基地的东北三省，如何加强水利基础设施，进一步提高防旱减灾能力，应引起足够的重视。

黑龙江省名水县龟裂的稻田

# 73. 1991年中原重大旱灾

1991年，全国各地从4—5月南方的广东、广西、福建等省区，到7—12月北方的内蒙古等省区先后都出现了旱灾，全国受旱面积2 491万$hm^2$，减产2成以上的成灾面积1 056万$hm^2$，其中绝收21万$hm^2$。其中尤以河南省大部特大干旱最为严重。

对于河南来讲，此次干旱持续时间之长、范围之广、程度之重为建国以来所罕见。据调查，1991年7月至12月中旬，河南的降水比往年平均减少了50%～80%，受旱面积达493.33万$hm^2$，越冬作物严重受旱面积达333万$hm^2$，已种上的有55万$hm^2$出不了苗，120万$hm^2$严重缺苗断垅，占麦播面积的1/4，部分地区缺苗率达50%。全省因旱造成430万人、120万头大牲畜吃水困难。

1991年，河南省西、北、中部大面积遭遇了春夏秋三季连旱，时间长达150～200天。6—8月份各地降水量较常年偏少30%～80%，秋作物受旱面积达313万$hm^2$，其中成灾125万$hm^2$，绝收46万$hm^2$，因旱减收粮食32亿kg，减产棉花7 911万kg；9—11月份全省降水量只有80 mm，为多年同期平均值的51%，豫北共产主义渠、卫河、天然文岩渠等河渠发生断流。旱情最为严重的豫西地区绝大部分饮水工程（水窖、屋顶接水）没有蓄上水，洛阳、三门峡、焦作、郑州四市的山丘地区有204万人、57万头大牲畜饮水困难。

1991年中原大旱的严重灾情牵动了中南海。国务院总理李鹏说：人没水吃可是个天大的事。国务院决定从1992年起，连续四年，每年拿出5 000万元以工代赈专项经费，用于解决河南山区群众吃水困难问题。田纪云副总理11月17—18日在亲临现场并看了《洛阳89万人吃水告急》的录像后，对洛阳市委领导说："人命关天，救命要紧，不能冻死一个人，渴死一个人，饿死一个人。"并当即决定拨款1 000万元，用于救济洛阳兴建人畜引水工程。在政府的鼓励下，河南全省紧急行动，百万干部下乡救灾。仅11月27日一天，洛阳就组织28个厂矿企业、科研院所的48部车辆给严重缺水区送水。

为了更好地解决饮水问题，防患于未然，经过1992—1996年4年多的不懈努力，累计投入资金6亿多元，在河南严重缺水的地区共建成各类人畜饮水工程6 001处，解决了近300万人、80万头大牲畜饮水困难问题，在河南省缺水山区树立了一座丰碑。

河南省多旱灾，历史上大旱之年“村不留户，户不留口，十室九空，人食人肉”，“饿殍遍野”的记载不绝于书。1991年大旱尽管从资料上分析，其危害程度远高于“十室九空”的1942年，但是这次持续大旱，却最大程度地减少了灾害损失，不仅没有饿死、渴死一个人，还在缺水山区建成一批能抗御特大旱灾的骨干饮水工程。同时，人们在长期反复地与旱魔抗击中，深刻体会到，对于像我国这样的旱灾频繁且严重的国家，旱灾的发生不可避免，我们的努力，只能使旱灾造成的危害减轻而不能消除，这就要求我们走可持续发展之路、科学发展之路，大力进行生态环境建设。必须在全社会树立水资源与水环境的忧患意识，使经济发展水平与资源条件、环境状况相适应，从根本上解决问题。

无奈的老者抚摸着干涸的土地

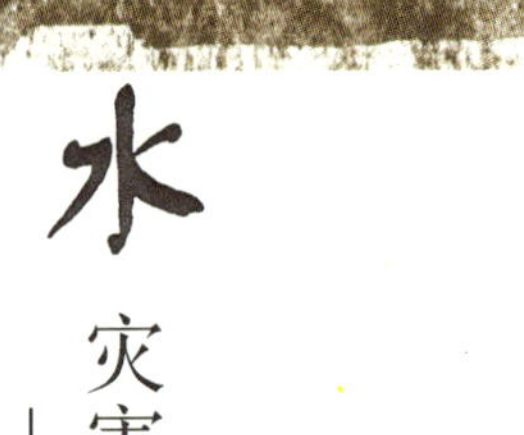





## 74. 1995年台湾南部严重大旱

台湾——中国最大的岛屿，在人们的眼中，它只与台风有关。然而1995年一向雨量充足的台湾却遭遇了前所未有的干旱。

1995年对于台湾尤其是台湾南部地区是不同寻常的一年，这一年台湾南部发生了大旱，年降水量为1 902 mm，约为多年均值2 501 mm的76%，梅雨和夏季台风降雨偏少。全年缺雨约1/4，为614 mm。明显缺水的为台湾南部，降雨量1 602 mm，仅为均值2 501 mm的64%。缺雨超过1/3，达899 mm。曾文水库集水区降雨量为1 755 mm，仅为均值的59%。

旱灾的突如其来，损失是显而易见的，严重干旱对居民生活和农业、工业生产均造成了重要影响。最后，维持生命和基本生活所必需的水量成为第一优先。加强水资源管理和失控综合调配与即时调整成为全社会的一致要求，也成为水利以及与水有关的一切单位的首要职责。面对旱灾的挑战，台湾各地也根据实际，因地制宜地采取了一系列行之有效的措施。

生活用水抗旱措施：南部地区，1995年10月20日起，曾文、乌山头、南化等水库实施第一阶段限水，限制次要民生用水。台中地区新凿深井25口，增加日出水3.5万t，在提高水储量的同时，停止非生活必需用水，并考虑实施夜间减压供水，甚至停水。

农业用水抗旱措施：北部地区，首先是调整农业用水，控制发电用水，减少农业用水。同样，中部石冈坝灌区和清水灌区提前实施干支分线分组轮灌和集中灌溉，严重地区增加轮灌期距。

工业用水抗旱措施：曾文水库对11家签约厂商自1995年10月1日至1996年5月31日缩减50%供水，并积极辅导各厂回收废水再利用。

最终在各方的努力协助下，台湾人民度过了历史的难关。据专家分析造成此次旱灾的主要原因是：一方面台湾降雨时空分配不均匀，1995年夏季缺少台风雨；另一方面台湾的河流短促，蓄水工程有限，调节能力不够，大量径流流失，遇到降雨不足，自然成灾。

水库干得龟裂

以台湾高达 2 500 mm 以上的平均年降雨量，少降 1/4 雨量，也比中国大陆大部分省份降雨量为多，似乎旱灾并不易发生。然而事实上，由于降雨失控分配不平衡和调节能力不够，干旱却又频繁出现。显然可知，在经济快速工业化和人口膨胀条件下，岛屿水文环境衍生的干旱问题实在不可忽视。

对台湾同胞遭受的困难，我们感同身受。若台湾当局允许，福建沿海地区即可尽快用船舶向金门马祖澎湖送水，条件成熟，还可铺设过海管道输水，以解台湾燃眉之急。早在 1995 年 6 月同安大嶝就建成供水工程，准备向金门供水。但是，从这项构想提出至今已过了 10 多年，都未能实现。希望台湾当局能以百姓生存为重，与大陆合作，共同抗御旱魔等自然灾害。

# 75. 1997—2001 年海河流域大旱

干裂的地，无奈的心

据史料记载，海河流域素有“十年九旱”一说，特大旱近 40 年一次，大旱 5 年一次，而常见干旱几乎年年有。

1997—2001 年，海河流域连续 5 年干旱，其中 1997、1999、2001 年为特枯水年（按 1956—1998 年降水系列计），其降水量之少，持续时间之长，影响范围之广，灾害损失之大都是历史罕见的。与正常年份相比，5 年平均降水量减少近 20%，地表径流量减少 40%，城乡供水普遍紧张。2001 年，北京市曾一度考虑引黄；石家庄、保定、邢台等城市地下水位以每年超过 1 m 的速度下降，2000 年汛前供水一度告急；全流域地下水年超采量近 70 亿 $m^3$。

1997—2001 年，天津连续 5 年干旱面积高达 23～27 万 $hm^2$，占全市耕地面积的 50%以上。1997 年，天津地区春旱后，又发生新中国成立以来最严重的夏秋连旱，伏天气温 35℃以上持续的天数突破历史记录。1999 年 6—9 月又遭遇历史罕见特大干旱，降水量普遍比常年偏少 6～8 成。1999 年农田受旱面积 19 万 $hm^2$，占到耕地面积的 70%，绝收面积 4.3 万 $hm^2$，山区 12.9 万人饮水困难；2000 年，全市受旱面积 25 万 $hm^2$，成灾面积 17.9 万 $hm^2$，绝收面积 7 万 $hm^2$，粮食损失 72 万 t，经济损失 12.5 亿元，有 40 万人、3 万头牲畜饮水困难。这主要受“厄尔尼诺”及“拉尼娜”现象的影响，由大气环流

和海温的异常发展而引起的。2000年10月至2001年2月，天津市不得不第六次引黄并动用潘家口水库死库容，以解燃眉之急。

河北省1997—2000年4年平均降水量为398 mm，比多年均值偏少25%。由于降雨偏少，4年平均地表水资源量只有70.4亿$m^3$，比多年均值减少40.8%，若与20世纪50年代比较，则减少62.8%。全省平均受旱面积达379万$hm^2$，其中成灾面积201.8万$hm^2$，绝收面积就达38万$hm^2$，减少粮食22.5亿kg。产水量的减少和经济的发展，使水资源供需矛盾十分尖锐。

北京在1997年和1998年严重干旱的基础上，1999年再度发生更严重干旱，汛期降水量是新中国成立以来最少的一年，也是130年以来旱情最为严重的一年。该年夏季连续9天气温超过35℃，最高达42.2℃，是近60年来高温持续时间最长的一年。汛期官厅、密云水库可利用来水量仅0.93亿$m^3$，比多年同期减少90%以上，均是建库以来来水量最少的一年。到2000年，以上地区旱情进一步发展。北京地区仍然是少雨，酷热干旱，伏天35℃左右的高温达一个月。1999年全市受旱面积13.2万$hm^2$，绝收面积1.3万$hm^2$；2000年受旱面积16.5万$hm^2$，绝收面积1.5万$hm^2$。山区18万人、2.2万头牲畜饮水困难。

干旱，历来是我国面临的最大难题之一。抗旱防灾、减灾是与大自然作斗争，保证农业生产的伟大事业。人们在长期的抗旱斗争中深刻认识到，对于受东亚季风气候明显影响的我国，降水量年际和季节变化很大，水资源地区分配不均，旱灾的频繁发生是不可避免的。旱灾造成的危害可以减轻而不能消除，防旱减灾是我们国家与全民的一项长期战斗任务。我们要在系统分析干旱形成的条件、灾害的区域性、多发性特点和时空演变规律的基础上，及时研究新情况和总结新经验，不断提高我国防旱减灾能力，把干旱灾害的危害降到最低限度。

# 76. 1997年黄河缺水断流

黄河是中华文明的发源地，在物质和精神两个层面都给予了中华民族宝贵的财富。黄河不仅以其丰饶的资源哺育了中华民族，而且也成为中华文明的具体承载者。流域内人多地广，自然条件较为优越，历来是我国重要的农业产区。1972 年黄河发生了其历史上的第一次断流。然而，令人惊心的是近年来黄河连续不断出现断流的现象。特别是进入 20 世纪 90 年代，断流不仅几乎年年发生，而且天数和长度逐渐延长，其中以 1997 年为一个顶峰。

1997 年，黄河断流出现了 7 个历史之最：一是断流时间最早——2 月 7 日利津水文站就出现断流；二是断流河段最长——断流从河口至开封柳园口，共长 728 km；三是断流频次最高——利津站全年断流 13 次；四是断流天数最多——利津站断流共计 226 天，河口有 295 天无水入海；五是断流月份最多——全年有 11 个月断过流；六是断流首次在汛期出现——在 9 月份黄河秋汛期首次出现断流；七是首次跨年度断流——断流从 1997 年底至 1998 年初。如此频繁的断流，使水资源供需严重失衡，对流域的人民生活和工农业生产及生态环境造成严重影响，也极大地影响了我国的经济建设。

黄河频繁断流除了有来水少的天然因素外，更主要的是由人为因素造成的。其主要表现在：(1)黄河流域用水量急剧增加。黄河流域地处半干旱、干旱地区，年均降雨量只有 436 mm，是全国平均值的 71%，而沿河地区用水量却逐年增加。目前，黄河流域引水总量接近 400 亿 $m^3$，消耗水量为 307 亿 $m^3$，比 20 世纪 50 年代增加 2.4 倍左右，已接近黄河的可供水量。(2)中游水库调节能力不足。黄河干流有 8 座水库枢纽工程，调节库容约 300 亿 $m^3$。这些枢纽工程中仅有龙羊峡、刘家峡、三门峡 3 座水库有调节能力，其他水库调节能力很小。有调节能力的 3 座水库主要集中在上游河段，中、下游仅有三门峡水库，由于泥沙淤积严重，该水库汛期只能低水头运用，调节能力较弱。(3)管理运营措施不力，管理调度不统一，水资源利用率低，

黄河断流

浪费严重。科学管理、合理使用黄河水资源的体制还没有完全建立，各地区为了局部利益，纷纷建造各类引水工程，仅黄河下游就多达122座，大大超出黄河的供水能力，且各自按照自定的运行方式进行调度。另外，水利工程老化、灌溉方式落后、水资源有效利用率低、节水意识淡薄、浪费严重也是造成断流的重要因素。

黄河作为孕育中华民族的母亲河，一旦发生断流，理所当然地会引起全国人民的严重关注。1998年元月，针对黄河断流的严重危机，163名中国科学院和中国工程院院士在一纸振聋发聩的呼吁书上郑重地签下了自己的名字，呼吁“行动起来，拯救黄河”，“从自己做起，从一点一滴做起”。

保护黄河，保护黄河水资源和生态环境，是全社会的共同责任。水安全将是21世纪人类面临的最大挑战之一，接受挑战，正视问题，研究对策，将是实现中国社会、经济、环境可持续发展的重要一环。

# 77. 2000年中国北方严重旱灾

2000年春天，中国北方发生了一场严重的旱灾。截至5月16日，全国作物受旱面积1 267万 $hm^2$，干枯46万 $hm^2$，白地缺墒530万 $hm^2$，水田缺水112万 $hm^2$，因旱有1 560万人、1 310万头大牲畜发生临时性饮水困难。这是自20世纪90年代以来最严重的一场旱灾。

2000年，湖北出现历史罕见的冬春连旱和盛夏伏旱，受旱范围达到总面积的80%以上，全省因旱灾造成的直接经济损失为115.58亿元；河南有关部门的旱情报告也称全省大部分地区出现有气象记录以来从未有过的持续干旱天气。辽河、海河、黄河中下游水量比正常年份减少3到8成，淮河水位降至50年来最低点。黄河中下游长时间断流，海河流域自1999年发生50年来最严重干旱后，2000年上半年流域降水量比去年同期平均减少30%。松花江出现历史上最干枯时期，以至于已经不能通航，甚至有的江段可涉水过江。北京密云水库水位比1999年下降了7.89 m，蓄水量减少7.7亿 $m^3$；天津潘家口水库水位也降到历史最低点，使地下长城景观露出水面……

当南方的人们依然在清澈的游泳池里怡然自得，当许多城市依然在水管爆裂以致水漫街衢的时候，在中原大地，有多少企盼甘霖的眼睛，有多少坐以待毙的庄稼和牛羊，有多少日渐干枯的城镇，有多少黯然停产的厂房……虽然旱灾最终得到了控制，但可以想象，北方旱灾的损失是巨大的。大旱之下，农业肯定歉收。专家们认为，中国北方旱灾所导致的不仅仅是农业歉收，北方沙风暴和黄河断流，也是严重的问题。

那么2000年在中国北方地区发生的严重旱灾，原因到底是什么呢？专家们告诉我们：中国的旱灾不是因为中国降水量少。中国北方地区降水量不多，但不一定会导致旱灾。中国发生旱灾的关键原因在于浪费水。中国农业用水占全国总用水量的80%以上，中国农业灌溉用水有效利用系数为0.4，发达国家一般为0.7至0.8，如果中国的系数能提高到0.6，每年则可增加节水能力494亿 $m^3$。浪费水的严重程度，与旱灾灾情同样惊人。

这次旱灾受旱范围广、持续时间长、危害程度重，对农业、林业、畜牧业造成很大损失，对城市生活和工业生产带来严重影响，引起了全社会的广泛关注，同时也给人们以深刻的启示。第一，水资源短缺已经严重制约国民经济的发展，未来缺水的矛盾将更加突出。第二，在新形势下依然要加强农田水利基本建设，增强农业抗灾能力。我国农业基础设施薄弱，靠天吃饭的局面仍然没有根本改变。第三，水资源短缺的矛盾突出表现在城市，解决城市缺水问题是当前十分紧迫的任务。第四，农村人畜饮水设施严重不足，必须下大力气解决人畜饮水困难。第五，严重的干旱使节水和水污染防治工作的必要性更加突出。第六，林业和畜牧业的发展要适应水资源条件。第七，需要调整工业、农业的生产结构和布局，适应水资源条件。经济建设要量水而行，根据可利用的水资源总量及其分布，调整经济结构和产业布局，营造节水型经济结构。第八，必须加强城乡水资源的统一管理调度，实现水资源优化配置。

潘家口水库中地下长城露出水面

# 78. 2003 年江西超历史记录的大旱

史料记载江西干旱灾害，始于南北朝，江西水利系统常有记载“江西大旱”、“全省大旱”、“诸郡大旱”。2003 年，对于江西省是不同寻常的一年，这一年包括江西在内的江南、华南普遍遭遇超历史记录的大旱。7 月至 11 月上旬，全省遭遇了百年不遇的大旱，此次旱情发生早、来势猛，持续时间长、范围广，经济损失严重。

7 月 1 日至 20 日，江西省平均降雨量仅 25.71 mm，不足多年同期均值的 3 成。受持续高温少雨天气影响，全省江河水位持续下降，各类水利工程蓄水锐减，赣江上中游的支流、抚河部分河段出现有记录以来最低水位，个别河流部分河段几乎断流。

截至 8 月 10 日，江西全省大中型水库总蓄量为 91.46 亿 $m^3$（其中大型水库总蓄水量为 74.44 亿 $m^3$，中型水库总蓄水量约为 17.02 亿 $m^3$），大中型水库蓄水量比 2002 年同期减少 33.32 亿 $m^3$，比多年均值减少 16.15 亿 $m^3$。全省有 16 座大中型水库水位在死水位以下，2 044 座小型水库干涸。全省有 11 个设区市 98 个县（市、区）受旱，作物受旱面积 123.9 万 $hm^2$，其中重旱 50.1 万 $hm^2$、干枯 22.5 万 $hm^2$。此外，还有 49.5 万 $hm^2$ 水田缺水，30 万 $hm^2$ 旱地缺墒无法栽插。分别比 2 天前的 8 月 8 日增加作物受旱面积 2.9 万 $hm^2$，重旱 1.1 万 $hm^2$，干枯 1.3 万 $hm^2$，缺墒旱地 3 000 $hm^2$。

池干鱼亡

本次旱情，江西全省 2/3 以上耕地

即将见底的水库

受旱严重缺水缺墒，因旱农作物受灾面积105.72万 hm²、成灾面积85.3万 hm²、绝收面积24.83万 hm²，全省减产粮食244.3万t，经济作物损失31亿元。全省因旱直接经济损失67亿元，有297万人、174万头牲畜因旱饮水困难。农业生产因旱损失最为严重。

针对当时抗旱工作面临的问题，江西省对当时的抗旱形势及工作措施进行了认真的分析研究，要求各地各有关部门进一步加强组织领导，进一步落实责任，增强做好抗大旱、抗久旱工作的责任感和紧迫感，突出抗旱工作重点，狠抓关键性措施，密切配合，通力合作。江西省提出当时抗旱工作重点要抓好的工作，主要有从大局出发，确保抗旱重点，把人畜饮水和生活用水放在首要地位；管好水源，算清水账，科学调度，充分发挥水利工程灌溉效益；千方百计广辟水源，充分利用地表水，积极发掘地下水，抓住有利时机实施人工增雨作业；想方设法节水增效，加强对农业、果业等农业经济作物抗旱工作的科学指导，大力推广抗旱新技术和新材料，充分利用“旱地龙”等新产品抗旱，努力提高抗旱救灾效益等等。

面对大旱，人们没有怨天尤人，而是全力以赴投入抗旱。江西省共投入抗旱劳力863万人、机电井2.9万眼、泵站2.36万处、机动抗旱设备37万台套、机动运水车3 195辆，投入抗旱资金3.3亿元，抗旱浇地91.2万 hm²，临时解决199.9万人、106.5万头大牲畜的饮水困难。

这次大旱后，江西各地干部群众主动要求维护和修建小水库、灌溉渠道的呼声大增。为改变农田水利基本建设的落后现状，江西已经制定规划，2010年之前每年投资20亿元进行农田水利基本建设。

# 79. 2006年川渝特大干旱

2006年，中国重庆、四川遭遇了大范围的高温和干旱。这场50年一遇的特大干旱，给重庆创下了五大历史记录。温度达历史最高：重庆大部分地区气温在7、8月份都达到了40多度，最高的达到44.5℃；干旱时间持续最长：部分地区持续了100天以上，时间之长是重庆50年甚至更长的时间没有遇见过的；长江水位之低：据介绍，经水文测试，长江流量要比往年少了40%。有的地方长江像个小河沟一样，各个端面的水位之低创了历史记录；干旱覆盖面积之大：重庆市40个区县都是干旱，扩大到湖北、湖南、四川等地也是干旱；灾害状况严重：重庆范围内的耕地，133万 $hm^2$ 耕地受灾，其中33万 $hm^2$ 是干枯，67万 $hm^2$ 是重旱，33万 $hm^2$ 是中度的干旱。

而其相邻的四川，旱情也不乐观。来自气象部门的消息显示，2006年3月以来，盆地东北部、南部部分地方及阿坝州少数地方降雨量在20～64 mm，省内其余地区在20 mm以下，与常年同期相比，省内大部分地方降雨偏少4～9成。截至2006年4月2日，四川全省有107县(区、市)，其中盆地有71县(区、市)连续30天累计降水量小于20 mm，达到春旱标准，另有10个县(市、区)达到预警标准。成都金堂、青白江、龙泉驿、双流、蒲江等地6.1万群众出现饮水困难，个别提水工程甚至出现无水可提的情况。

晒得开裂的庄稼地

截至8月31日，重庆、四川两地因旱出现饮水困难1 887万人，农作物受旱面积320万 $hm^2$，绝收面积72.7万 $hm^2$，粮食减产500万 t 左右。同

时，持续的高温干旱造成了上百起的森林火灾。此次川渝特大干旱直接经济损失 150 亿元人民币。

据专家分析，造成此次旱灾如此严峻，主要是因为：①每年 7—8 月份是长江流域的伏旱天气，副热带高压位置偏北偏西，使川东、重庆上空盛行下沉气流，连续多日高温无雨，致使热量越积越多；②来自北方的冷空气势力微弱，南下较少，一方面致使川东和重庆等地气温高于常年同期气温；另一方面川东和重庆等地气团性质单一，造成本区晴朗少雨的天气；③高原热状况偏强。2005—2006 年冬春季，青藏高原积雪偏少，造成高原热力作用显著，夏季风强度加强，导致长江流域，特别是重庆、四川等地受单一暖空气影响，降水偏少，而并非是因为三峡工程所致。

干涸的河流

政府面对旱灾的考验，提出了多举措抗旱防暑，共投入 600 余万人抗旱救灾，累计投入 1.54 亿元。四川水利部门派出了 13 个工作组奔赴全省各地，奋战在全省抗旱第一线的水利工作员达到了 2 万余人。工作小组科学有效地组织旱区人民抗旱，千方百计保证人畜饮水及生活用水；千方百计提水，保障蓄水和农作物栽种；加快水利工程建设，特别是抗旱效果好、施工时间短的自由微水工程。

最终，重庆和四川政府面对历史的考验，真正将工作做到实处，落实到位，控制得体，使重庆和四川平安度过了危机。

# 80. 2005—2006年美国洛杉矶百年不遇的大旱

森林火灾现场

美国加利福尼亚州南部的洛杉矶，2005—2006年处于130年以来持续时间最长的干旱期。2005年夏天至2006年，洛杉矶经历了1877年有记录以来降雨量最少的雨季。自2005年7月1日至2006年，洛杉矶市区降雨量只有62.7 mm，而正常年份同期降雨量约为354 mm，成为历史上最干旱的时期。

持续的干旱少雨引起该州多起森林大火，造成重大的经济损失。

2005年9月，加州南部山火吞噬了大约68.79 $km^2$ 山林，1 500人紧急疏散，2 100处房屋受到威胁，大火烧毁了多处豪宅和波音公司一间火箭试验室。大火造成的直接经济损失超过100万美元。

2006年3月30日，洛杉矶附近的好莱坞又燃起了丛林大火，吞噬大片林地，危及洛杉矶的“名片”——山上的“好莱坞”标志，华纳兄弟公司的摄影棚也险些遭殃。

2006年7月，洛杉矶东部的山林野火持续近10天，100多处民房被毁，1 200多名当地居民被疏散，且严重威胁进出邻近内华达州赌城拉斯维加斯的交通安全。

当年2月，联合国政府间气候变化专门委员会发布的全球气候变化评估

报告指出，全球变暖会对人类生活构成巨大威胁，其中包括会使山林大火等自然灾害威胁加重。2006 年，山林大火在美国烧毁近 4 万 $km^2$ 林地，与瑞士国土面积相当，创美国历史之最。

从洛杉矶所遭遇的百年不遇的旱灾，我们不得不为世界人民的将来深思，世界的将来应该是绿水青山，还是全球成为一个火球？针对这一问题，联合国政府间气候变化专门委员会在泰国曼谷发布气候变化报告指出，各国应该采取切实措施，减缓全球气温升高的趋势。

2007 年 5 月，100 多个国家的气象专家和政府官员在曼谷经过 4 天的讨论，最后形成了一份 35 页的报告。报告指出，全球气温升高非常明显，从 1970 年到 2004 年，导致全球变暖的二氧化碳排放量增加了 70%，主要原因是对石化燃料的依赖和砍伐森林。报告指出，各国必须采取措施，扭转全球气温升高的趋势。根据目前的经济和技术条件，报告认为，各国只要拿出每年 GDP 的 0.12%，就可以从 2015 年起遏制全球变暖趋势，从而实现将全球气温控制在仅比工业革命之前升高 2℃的目标。

初步研究显示，全球变暖会引起温度带的北移，进而导致大气运动发生相应的变化，全球降水也将随之发生变化。一般地，低纬度地区现有雨带的降水量会增加，高纬度地区冬季降雪量也会增多，而中纬度地区夏季降水量将会减少。对于大多数干旱、半干旱地区，降水量增多是有利的。而对于降水减少的地区，如北美洲中部、中国西北内陆地区，则会因为夏季雨量的减少变得更加干旱，水源更加紧张。

尽管存在着许多的不确定性，但显而易见的是，全球气候变暖对气候带、降水量以及海平面的影响以及由此导致的对人类居住地及生态系统的影响是极其复杂的，必须给予应有的重视。认为这种影响从长远来看是无关紧要的看法是不负责任的。

从美国洛杉矶所遭遇的大旱中，我们也可以看出全球气候变暖对人民的生活造成的影响是不可忽视的，因此世界人民应全力合作，阻止气候的继续恶化下去，为自己的子孙后代创造更加美好的明天！

# 大海啸

# 81. 1755年里斯本海啸

里斯本——葡萄牙首都，属于航海商船到达欧洲大陆的第一批港湾。因其得天独厚的位置，里斯本变成了一个与其强大的经济地位相比毫不逊色的信息传播站点。当时的里斯本是欧洲最富有的城市之一，也是一个世界贸易中心。

1755年11月1日，里斯本城附近的大西洋海域发生8级以上地震，余震持续了9个月，波及到挪威和北美洲。里斯本城破坏极其严重，损失惨重。地震当天正是万圣节，因此城中很多人都在做弥撒，地震震落的易燃品被弥撒烛火或炉火点燃，形成大火并在密集的房屋群中迅速蔓延，发展成全城规模的火灾。着火地点至少有100多处。大火整整燃烧了6天，皇家宫殿和大歌剧院也完全被火焰吞噬，图书馆里珍藏的图书和宫殿豪宅里的珠宝均被付之一炬。失魂落魄的居民在大火中奔逃，但因原本狭窄的街道已被坍塌物所堵塞，致使除少部分人在后续坍塌中丧生外，更多的人则是葬身于火海。随之，河面突然隆起约6 km宽的大潮卷起高若小山般的庞然巨浪，咆哮着越过河堤，吞噬拼命逃窜的难民；甚至连新建不久的大理石码头，连同避身于此的人群及一批锚泊的大小船只，也被海啸统统就地吞没。大潮的退去如同来临般突然和急速，席卷掳掠到的一切并将河床裸露，随后又发生了第三次强震和海啸的后续冲击，使里斯本的灾难达到了无以复加的境地。作为自然事件的地震与海啸以及由地震引发的火灾相互作用，造成了灾上加灾。

在这次地震和海啸中，里斯本城估计有六七万人死亡。这次地震引起海啸，葡萄牙海岸最大潮高估计有15 m左右。法国、英国和荷兰的港口受到损失，远至中美洲海岸也能观测到海啸的影响。从大西洋的亚速尔群岛经直布罗陀海峡至地中海到土耳其、伊朗，是亚欧地震带的西段。1755年里斯本大地震正是位于这条带上，属于板块边界大地震。

幸存者对里斯本地震海啸灾难有以下描述：首先城市强烈震颤，高高的房顶“像麦浪在微风中波动”。接着是较强的晃动，许多大建筑物的门面瀑布似的落到街道上，留下荒芜的碎石成为被坠落瓦砾击死者的坟墓。

海啸袭击港口

葡萄牙国家档案馆收藏和整理了地震的个人见证报告。它们叙述了人们如何在摧毁、迷惘与混乱中逃命。其中经常有这样的叙述：街上躺着成百上千的尸体，逃命的人们踩踏而过。许多人被废墟压得难以脱身，因而被大火活活烧死。如下相互矛盾的经历报道很少：有些人认为末日来临了，大火是地狱开口的征兆，而另一些人认为大火是上帝仁慈的表现，因为大火焚毁了死尸，避免了空气的污染。

在这个富足的都市，基督教艺术和文明之地的破坏，触动了世纪的信念和乐观的心态。许多有影响的作家提出这种灾难在自然界的位置问题。伏尔泰在其小说《公正》一书中写下了他观察里斯本地震后的感慨：“如果世界上这个最好的城市尚且如此，那么其他城市又会变成什么样子呢？”

这次地震海啸造成生命财产上的损失极大，而其对人们思想上的冲击也具同样深远的意义。在后人看来，西班牙帝国凭借临海之故，将统治区由非洲延伸到美洲和亚洲，“废除了议会，反抗耶稣会教士为代表的天主教会力量”；堕落的里斯本贵族沉沦在罪恶的生活中，他们上剧院、看斗牛、饮酒作乐，不顾地震海啸对人类的伤害，等等。因此，不少人认为这是一场“天谴”，是自然对人类非科学发展的惩罚，里斯本大地震大海啸也激起了人们研究预言的热心。

## 82. 1952 年萨哈林 20 世纪危害最大的海啸

俄罗斯萨哈林岛——中国传统名称为库页岛，与堪察加半岛和千岛群岛三足鼎立。1952 年 11 月 5 日发生在萨哈林沿岸的海啸彻底毁灭了北库里斯克市和诸个岛屿沿岸的村落。

深夜 4 点钟，当地的人们被强烈的地震惊醒，由于地震在当地是司空见惯的事情，人们又躺下接着睡，但这次的地震与以前有所不同，因为有些人已看到岸边的海水向后退了近 500 m。很快，从海边传来巨大的声音。此刻，从正在行驶的离海岛不远的海船上望出去，看到的只有水，惊慌失措的船长用无线电报通知“幌筵岛沉入海里”，但仅有岛上翻滚的巨大海浪撞击在城市山坡上发出的声音回荡在耳边。

从睡梦中醒来的人们惊慌不安，不知所措。他们顾不得穿衣服就跑出家门。就这样，他们半裸着身体，光着脚，穿着一条短裤朝山上跑去。

10～15 分钟后，首次海浪开始退下去，人们以为灾难已经过去，纷纷返回住处。就在此时，第二个巨浪扑过来，这一次浪更大。警察和军队试图通过炮击提醒人们巨浪又一次扑来。月光下可以清楚地看到巨浪顶着宽宽的白沫迅速扑过来。这次巨浪没有遇到任何阻力，因为第一次大浪已将很多房屋冲垮。海水以排山倒海之势扑到岸上，迅速冲毁余下的房屋和建筑。第二个巨浪将整个城市毁掉并夺去了大部分人的生命。

冲上山的海啸

不多的幸存者是借两次海浪袭击之间的空隙逃生的。据他们后来讲述，当时他们觉得好像整个岛屿在下沉。人们扔下手中的东西仓惶逃向山里。尽管后来慢慢定下神来，但由于惊吓，还是留在山里继续生活。

这次地震是大陆地壳对东方的恒定压力引发的。日本海和鄂霍次克海的海底是坚硬的玄武岩，这种岩石至今可以承受这种巨大的压力，因此在承受力最弱的地方——图斯卡罗拉海沟发生断层。水下7 000～8 000 m处(由幌筵岛向东约200 km处)，当洼地受到巨大的挤压时，海水被突然抬起。或者，火山喷发引起海底升高而顶出大量的水，被顶出的水形成巨浪涌向千岛。

海啸过后的惨状

灾难发生后，原北库里斯克所在地方圆几公里的地方空空如也，只有被海浪冲走的建筑物的地基偶尔可见。从海湾里冲上来的屋顶，原体育场中间的大门及孤零零矗立的苏联红军战士纪念碑告诉人们这里曾经有过一座城市。

黎明时分，千岛上空出现有堪察加彼得罗巴甫洛夫斯克派出的侦察机，从飞机上向人们扔下过冬的衣物、被子、帐篷和食品。

这次海啸是俄罗斯沿岸最可怕的一次海啸，海浪高度达到15～18 m，海浪漫入幌筵岛2 000 m深处，曾冲上幌筵岛的库利尔斯克山脉，共造成约2 300人死亡。人们无家可归，没有衣服穿，带着孩子在外露宿。户外刮着刺骨的寒风，雨雪交加，但他们仍勇敢顽强地忍受着这一切。

尽管这场灾难带来惨重的损失，但很多不知姓名的人在这些可怕的日子里体现出了可贵的英雄主义精神。他们没有抢救自己的财产和家当，而是冒着生命危险抢救那些与他们素不相识的女人、孩子和老人。

# 83. 1960年智利地震引发大海啸

据说，智利是上帝创造世界后的"最后一块泥巴"。或许正是这个缘故，这里的地壳总是不那么宁静。根据现代板块结构学说的观点，智利是太平洋板块与南美洲板块互相碰撞的俯冲地带，处于环太平洋火山活动带上。特殊的地质结构，造成了它位于极不稳定的地表之上，自古以来，火山不断喷发，地震接二连三，海啸频频发生。

1960年5月，厄运又笼罩了这个多灾多难的国家。智利发生史无前例的大海啸。这次海啸使数万人死亡和失踪，沿岸的码头全部瘫痪，房屋、建筑物被席卷不计其数，200万人无家可归。

1960年5月21日凌晨，在智利的蒙特港附近海底，突然发生了震级8.9级、烈度11度的地震。其震级之高、持续时间之长、波及范围之广，实属少有。大地震一直持续到6月23日，在前后一个多月的时间内，先后发生了225次不同震级的地震。震级在7级以上的有10次之多，其中震级大于8级的有3次。地震影响在南北800 km长的椭圆范围内。

海啸袭击轮船

5月22日19时许，大震之后，忽然海水迅速退落，露出了从来没有见过天日的海底。大约过了15分钟后，海水又骤然而涨。顿时，波涛汹涌澎湃，滚滚而来，浪涛高达八九米，最高达25 m，形成了巨大的水墙。呼啸着的巨浪，以摧枯拉朽之势，越过海岸线，迅猛地袭击着智利和太平洋东岸的城市和乡村。那些留在广场、港口、码头和

海边的人们顿时被汹涌而至的巨浪吞噬；沿岸的城镇、港口、码头、乡村即刻化为波涛汹涌的海洋；海边的船只、港口和码头的建筑物均被巨浪击得粉碎……随即，巨浪又迅速退去。海潮如此一涨一落，反复震荡，持续了几个小时，建筑、街道瞬间被摧毁，“水墙”所到之处，都被洗劫一空。智利的康塞普西翁、塔尔卡瓦诺、奇廉等城市被摧毁殆尽。

地震海啸给人类带来的灾难是十分巨大的。海啸波横扫了太平洋沿岸，所过之处，凡是能够带动的东西，都被潮水席卷而走。这次地震引起的海啸使智利一座城市中的一半建筑物成为瓦砾场，沿岸 100 多座防波堤坝被冲毁，2 000 余艘船只被毁，损失 5.5 亿美元，造成 900 多人丧生。同时，这次海啸产生的能量波及整个太平洋，海啸波以超过 700 km/h 的速度在太平洋传播，海啸经过的国家和地区均遭受不同程度的损失。海啸到达夏威夷时，波高 9～10 m，海啸波把堤坝的 10 多吨重的玄武岩块抛出百米以外，一座钢质铁路桥被推离桥墩 200 多米，毁坏建筑物 500 多座，死亡 61 人，伤 282 人，损失近亿美元。在地震 22 小时以后，海啸波传至日本，波高 6～8 m，给日本造成巨大灾害。

引起这次海啸的智利大地震是本世纪罕见的地壳变动，它将海底一块约 50 万 $km^2$ 面积的地块一下子上升了将近 10 m，汹涌的海浪一个星期后才逐渐平息。

目前，人类还不能控制地震、火山、海啸、台风等灾害的发生。但只要通过建立灾害预警系统和抗灾结构，普及灾害和灾害自救等相关知识，那么，我们可以将灾害引起的损失降到最低。鉴于地震海啸给智利带来的巨大灾难，智利政府非常重视对地震、海啸的研究和预测。我们期盼人类的科学技术水平达到能控制自然灾害的程度，那么降临于人类头上的灾难也会随之减少。

## 84. 1964年阿拉斯加地震引发北半球最大海啸

阿拉斯加州位于美国最北部，其北部在北极圈以内，东部与加拿大为邻，西隔白令海峡与俄罗斯遥望。由于位于太平洋火山地震带上（美洲板块与太平洋板块的交界处），因此阿拉斯加州是美国最容易发生地震的州。阿拉斯加州几乎每年都有一次7级地震，每14年都有一次8级或以上级别的地震。

北京时间1964年3月28日3时，美国阿拉斯加南部的威廉王子海峡发生了一次巨大地震。此次地震震级为里氏9.2级，震源深度在地下25～40 km之间，破坏面积13万$km^2$，出现地面变形的范围超过26万$km^2$，有感半径达1 500 km，有感面积130万$km^2$。阿拉斯加州大部分地区、加拿大育空地区及哥伦比亚省等地都有强烈震感。大地震还引发了至少12次余震以及冰崩、山崩、海啸和泥喷，其中一次余震的震级达到了7.3级。此次地震中死亡178人，经济损失约5.4亿美元，是北美洲，也是北半球有史以来震级最大的地震。因地震被毁的民用楼房215幢、商用楼房157幢，有好几幢大楼被夷为平地，高层或占地较广的建筑物差不多均受破坏。此次地震破坏性虽然很大，但由于当地人口密度相对较小，遭受的人员伤亡和经济损失也比较轻。

由于地震造成海岸线变动和大面积海底运动，这次地震引发了大海啸。大地震后20～30分钟，美国阿拉斯加南部的瓦尔迪兹港湾发生大海啸，海啸每隔11.5小时袭击一次海岸。最大海啸产生在半夜，又正值当地海潮之时，在瓦尔迪兹的入海口处，海啸波高达30多米。到湾顶端其波峰倒卷时，巨浪高达50多米。到达科迪亚克岛时为20多米。海啸波及到美洲的太平洋沿岸、夏威夷和日本，直至南极，均有不同程度的损失。

震中西南153 km处的苏厄德港在小峡湾三角洲上，地震时，由于海岸下地基滑塌，使码头至陆内100余米的地带都产生了地裂缝，整个港区地面

下陷约 1 m。震后又遭海啸狂浪和火灾袭击，港埠设备全部被毁，民房倒塌 86 幢，遭破坏的房屋 260 幢。因为港区破坏，重建困难，震后不得不将原港区开辟为旅游区。

海啸过后的情景

美国的加利福尼亚州沿海小镇克雷森特城遭受海啸 5 次袭击，第一次浪高 6 m，最大一次浪高达 9 m，几乎全部摧毁了这个城市。狂奔的海浪上岸后，冲倒建筑物近百幢，沉船十多艘，伤亡 200 余人，淹没码头、仓库和一座水泥厂。一些储油管激起了三层楼高的海浪，浪尖上是燃烧的油层。一名幸存者回忆说：“我从未见到过这样奇怪的情景，巨大的海浪拍打着海岸，浪尖上却满是燃烧的火焰。”

此次地震海啸给美国敲响了警钟。阿拉斯加大地震后，美国开始重视并逐渐加强地震预测研究。1965 年普雷斯(Press)等人提出了地震预测和防止地震灾害研究 10 年计划。1977 年美国国会通过了“减轻地震灾害法案”，把地震预测工作列为美国政府地震研究的正式目标。

# 85. 2004年印度洋海啸

2004 年 12 月 26 日早 8 时，印尼苏门答腊岛西北海域突发强烈地震，使得苏门答腊岛、马来半岛的很多地方及附近的岛屿都震颤起来。这次地震达里氏 9.0 级，是 1964 年 3 月 27 日以来的第二大地震，也是 1900 年以来的第四大地震，震中位于苏门答腊岛以西约 160 km 处。持续约 4 分钟的首次波动，即使远至孟加拉国、印度、缅甸、新加坡、泰国、马尔代夫也能清晰地感觉到。

然而，地震只是潘多拉魔盒放出的第一个怪兽，在印度洋海底，震波猛烈地撞击着海水，并迅速形成一圈圈惊涛骇浪，向远处狂奔而去……

印尼、马来西亚、泰国刚刚从一夜的沉睡中醒来，斯里兰卡、印度海滩上的人们开始沐浴一天的阳光，海啸已迫不及待地席卷而来，2004 年最惨痛的一幕就这样开始。

9 时 30 分，阳光下远远的一抹海浪线悄然泛出白色的光晕，宽阔得一眼望不到边。它快速地向前推进，在抵达浅水区不久，突然急剧升高。一朵朵浪花，失去了往日的温顺，暴怒地拍打着礁石，吼叫着向惊慌失措的人群扑来。

海啸中的死难者

海浪在当地时间 11 时 30 分左右，抵达斯里兰卡沿海地区。这里星星点点分布着众多小岛。海浪在分成两股绕行小岛之后迎头相撞，互相激荡，迅即转身横扫整个村落。在居民惊恐的眼神中，赖以生存的一切，连同不少人的生命，转眼间消失殆尽。

午后不久，海浪威力不减，咆哮着光临印度南部沿海。水面上漂浮着轮胎、树枝，海浪里包裹着石块、铁器。在巨大的漩涡中，一艘渔船转瞬之间就变成了一块块折断的木板上下翻飞。

五六个小时后，距震中约 4 500 km 之外的索马里也感受到了海啸的余威，在一些被摧毁的村庄，人们望着苍天，欲哭无泪。

顶部被海啸破坏的灯塔

海浪怒气冲冲一路前行，横扫马尔代夫，掠过澳大利亚、孟加拉国、肯尼亚、马达加斯加、毛里求斯、缅甸、阿曼、塞舌尔和新加坡海岸。

这次由地震引发的多次海啸，给环印度洋所有地区都造成了破坏，受灾最严重的地区包括印尼的亚齐省、斯里兰卡沿海地区、印度泰米尔纳德邦的沿海地区、泰国普吉岛。据统计，印尼共有 238 945 人死亡或失踪。泰国确认遇难者总人数为 5 393 人，其中超过 1 000 人为外国人。斯里兰卡是受袭仅次于印尼的国家，其遇难者总人数为 30 957 人，失踪者人数为 5 637 人。在印度，官方确认的死亡人数是 10 749 人，失踪人数为 5 640 人。缅甸共有 61 人在海啸中遇难。马尔代夫至少有 82 人遇难。马来西亚共有 68 人遇难，大部分为槟榔屿居民。孟加拉国则有 2 人死亡。非洲东海岸也有人员在海啸中遇难，其中索马里死亡 298 人，坦桑尼亚死亡 10 人，肯尼亚死亡 1 人。此次海啸造成的损失总计约达 140 亿美元。

海啸过后，各国政府，全球的人道主义组织，还有不计其数的个人，及时地向灾区伸出了援助之手，努力帮助受灾地区人民尽快重建家园。

印尼大地震引发的海啸夺去成千上万人的生命，这次灾难凸显印度洋预警系统缺乏。引发东南亚那场海啸的地震是无法预测的，但地震监测系统却可以计算它们的强度和位置，便于地震学家预告哪些地方可能遭到海啸袭击。由于地震波在地球上的传播速度快于海潮在海上推进的速度，这样的系统可在海啸发生前几小时发出警报。

时光将会流逝，灾难的记忆也将逐渐模糊，以至于淡忘。但是，在未来某年某月的某一天，遥望着某个水天相接的地方，人们可能会这样问自己：海啸还会再来吗？答案是肯定的，海啸会卷土重来。但愿到那时，每个人都准备好了。

# 肆

# 大风暴

# 86. 1703年英国特大风暴

欧洲较少受到台风的侵袭，但并非与台风毫无瓜葛。台风总想尽办法把它的魔爪伸向世界的各个角落。早在1703年11月初，英国就遭到过一次重大风暴的扫荡。由于这里少有风灾，人们对灾害的严重性估计不足，以致损失惨重。

异常凶猛的大西洋强风和暴雨接连两星期袭击了英国的英格兰和威尔士。11月25日，在整整半个月的恶劣天气之后，天气突然放晴，海水风平浪静，人们终日担忧的暴风雨终于过去，人人都希望晚间能好好地睡个安稳觉，再也不会听到狂风怒吼和打在房顶的噼啪声。在英港口外的各泊船区，各式各样的船只挂起了五彩缤纷的彩旗，船员们也兴奋地准备拔锚起航。

建筑师亨利·温斯坦利更是急于起航，去看他自己设计的涡石灯塔。该灯塔位于英吉利海峡之中，朴次茅斯西南24 km的涡石礁上。许多人包括建筑师本人，都认为这座已耸立4年的建筑物将永远牢不可破。暴风雨之前，温斯坦利已集合了工人，准备到涡石礁去对灯塔进行常规检查，由于暴风雨的阻隔，他们一直未能出发。11月26日一大早，温斯坦利就带领他的工人出发，下午他们到达了涡石礁，很快就登上了灯塔，着手准备第二天的工作。谁也不曾料到，当天午夜，一场史上罕见的特大风暴正向他们扑来。

27日凌晨风速达到160 km/h的强烈劲风不断地咆哮着，从西南方向刮来的强风扫过英格兰西部的康沃尔，形成了巨大的海啸。无数牲畜和人被淹死，水位高出以往最高水位纪录2.5 m。

在强风的袭击下，至少100所教堂的铅制房顶如废纸一般被风刮得散落四处，沉重的房顶狠狠地砸在地面上，有的陷入地下。尽管狂风呼号，房屋随时都会塌陷，人们仍不敢跑出屋，因为害怕被冰雹一般坠落的砖石击中。《鲁宾逊漂流记》的作者丹尼尔·笛福也经历了这场灾难，他写道："瓦片的损失之大，以致风暴过后屋瓦的价格由以往的21先令1 000片上涨到6英镑1 000片。"

据当时估计，这次风暴造成的经济损失超过 100 万英镑。在岸上，死亡 123 人，但由于许多尸体被埋在碎石之中，该数字远远小于实际死亡的人数。在海上和河口，不论是船只损失，还是人员伤亡，数字都大得惊人。

英国的舰船很多，且当时正与法国交战，许多船只正行驶在海上或停泊在港口，凶恶的风暴为它们挖掘了葬身之地。笛福这样描写："在洪水泛滥的泰晤士河中，所有的船只被吹得七零八落，不论是铁锚、陆地系船只，还是铁缆，统统都失去了作用。"

27 日夜，一片混乱中，8 000 名英国水手丧命，皇家海军损失了 15 艘战舰、1 500 名海员和一位海军将军。商船的损失更为惨重，据估计，至少 900 多艘商船被狂风摧毁。

那天晚上英国还损失了建筑师亨利和他那座"坚不可摧"的灯塔。星期五的晚上，灯塔还像往常一样送出了黄色的光束，但风暴来临时，灯塔突然熄灭。第二天上午，整个涡石礁上一无所有，只剩下巨大的礁石。温斯坦利曾表示过这样的愿望：他愿意在"最大风暴来临之时呆在自己亲手建造的灯塔之中"。他的愿望在风暴中得到了实现，亨利和他的灯塔从此就从这个世界上消失了。

风暴之夜狂风肆虐

## 87. 1900年毁灭加尔维斯顿的飓风

被完全摧毁的加尔维斯顿海滨地区

加尔维斯顿是美国得克萨斯州最大的港口，位于墨西哥湾的这个城市，还是远近闻名的旅游胜地。但是这个大富大贵的城市地势低矮，比海平面高不了多少，最高的地方也只有 2.7 m，低处只高出海平面 1.5 m，稍遇风暴，海浪就会逼上岸来。

这个方圆 6 km 的加尔维斯顿岛，尽管只高出海平面 1.5 m，却抵住了 1875 年飓风的侵扰和 1887 年特大风暴的袭击。工程师和气象专家曾发出警告说，应当在岛上建立一堵挡风墙以保护城市免遭飓风袭击，但城市的领导人却认为，过去的风暴都会改变方向，吹向东北边，没有损害该岛，所以不必浪费钱财去修什么防洪堤。

1900 年 9 月 8 日，飓风卷起海啸扑向了美国得克萨斯州的加尔维斯顿港，造成了巨大的损失。

加尔维斯顿人真的被幸运宠坏了，他们在华灯之下享受着优越的地理条件带来的财富，却忘记了低矮地势所潜伏的危机。加尔维斯顿平安地迎来了 20 世纪。1900 年 9 月，一份报告送到了加尔维斯顿市政府的气象局，上书："一股巨大的热带风暴向北袭来，已席卷了古巴。"然而市政府官员却不以为然。这类报告他们已见怪不惊，总以为风暴跟过去一样会朝着东北方的佛罗里达刮去，而且在过去的 3 天里，这股强劲的风暴的确是朝着佛罗

里达的方向奔驰而去的。

可 4 日下午，风暴却突然掉转头来把前锋对准了墨西哥湾。7 日上午 10 时左右，华盛顿方面来电催气象局赶快向市民挂出大风报警信号旗，但奇怪的是整个城市仍同往常一样平静安宁，人们没有做出任何反应。来旅游的人们云集在辽阔的海滩上，照旧沐浴在阳光或海水里，享受着阵阵温暖海风的吹拂。接近傍晚的时候，天空中浮出一块块的乌云，不过到了后半夜，空中又开始明朗起来，一弯明月俯照着海港。于是，人们误以为风暴又一次改变了自己的方向。

8 日凌晨，城市居民正处于甜美的睡梦之中，绵绵小雨揭开了风暴的序幕，很快人们就被海浪的咆哮声惊醒了。上午 10 时左右，随着风力猛烈加剧，巨浪冲上岸来，淹没了码头，一艘停泊在那里的大船被巨浪摔碎在码头上。面对码头的商业区很快被水淹没，7 m 高的海水冲了进来。不一会儿，海水把报警信号台都淹没了，警报声还没有停止，就有好几栋楼房倒塌了，开始是楼顶被掀掉，然后是墙壁倒塌。

中午的时候，风力仍在加剧，雨点和雨声大得惊人，只见成千上万的居民纷纷朝较高地势出逃。然而难以想象的狂风暴雨把人们吹得东倒西歪，寸步难行——风速已至 67 km/h。

被海水团团包围的加尔维斯顿与外界失去了联系。黄昏时分，气压很低，风速高达每小时 160～200 km。

狂风、暴雨、海啸在加尔维斯顿整整折腾了一天一夜，直到 9 日黎明，加尔维斯顿的上空才逐渐晴朗，海面也恢复了往日的宁静。然而满目荒凉，昔日的良港已经不复存在了。加尔维斯顿已是一座死亡的城市，成了一个洪水和飓风杀人的地狱。据统计，财产损失在 2 000 万美元以上，灾难中仅加尔维斯顿城 3 万居民中就有 6 000 多人遇难，此外，还有 3 600 多栋房屋被毁，1 万多人无家可归。

灾难震惊了全美国乃至世界各地，也震惊了加尔维斯顿幸存的人们自身。一年过后，加尔维斯顿经济才得以恢复。市政府在稳定民心后所做的第一件事就是加固海堤。加尔维斯顿人为保卫家园，自 1902 年开始沿海修建一条 18 m 宽、5 m 高的花岗岩围墙。

# 88. 1906年香港大风暴

令人胆寒的大风暴

太平洋西部是一个台风多发的海域，台风如果再沿海岸北上，就会侵入中国，其中广东所受的影响最大，而位于珠江口的香港更是饱受台风的困扰。

香港将热带气旋分为四组，共有80多个名称，并对每年登陆的台风一次给一个特殊的名称，如称为“温黛”、“安迪”和“荷贝”等等。从4月到6月的香港经常会出现带有狂风的暴雨，冰雹也会偶尔出现，台风挟带暴风雨常会引起山洪倾泻，冲倒房屋，堵塞交通，造成伤亡事故。香港在近两百年里曾发生过12次比较严重的风灾，在20世纪就有6次大的风暴造成重大损失。

1906年9月18日下午9时，一股强台风袭击了香港港口，造成9艘轮船被撞毁，数千只舢板和帆船倾覆。估计有1万人或被淹死，或被横飞的木块击毙，或被倒塌的房屋压死。伤亡最为惨重的地方是九龙。这次台风使2 000万美元的财产化为乌有。

9月18日，福建附近的太平洋海面上生成一个低气压，很快发展为台风，把海面上的几艘小船卷入海水中。

台风继续向南，香港气象台也发现了这股正在逼近的台风，并于下午8时40分施放了台风信号枪。随后，台风从两侧刮进了海港，在那里掀翻了11条大船、22艘中型船和2 000多只舢板和帆船。这些船上的人被刮入大海，估计有8 000人被淹死。1 698 t的德国轮船“波特拉奇”号被刮翻，压在“埃玛·露易肯”号和“蒙特埃特”号上，此后又被狂风卷到了九龙码头。港口还停泊着一艘从纽约开来的2 000 t级美国邮轮“西奇科克”号，它也赶上

了厄运，被台风刮离海面，从空中越过海湾，落在海滩上。此外，当时停泊在港口的法国船队也遭到了重创。一艘名为“弗龙德”的水雷驱逐舰被巨浪推上海滩后，又被时速 160 km 的大风刮得翻滚起来，造成 6 名船员丧生。

港口的人们四下逃散。数千名苦力冲向一座木制大吊桥，尽管大风刮得他们睁不开眼睛，他们还是用手抬高吊桥，以便让那些幸存的舢板和小船进入环礁湖，以为那里可以躲过灾难。可是当几百只小船进入环礁湖较为平静的水域后，台风已尾随而至。强大的风暴围困了这些小船并把它们摧毁，只剩下一堆破船烂板漂浮在水面上。

民房遭风暴袭击，满目疮痍

危险也来到了九龙地区，那里居民的遭遇几乎和那些被困港口的人一样。许多脚手架上的竹片木料被刮散了，在风中飞舞，击中了数百人，甚至把一些人钉在房屋和树上。被刮散的输电线在风中摇晃，放出噼噼啪啪的电火花。一幢幢房子的屋顶无一例外地被掀掉了，砸落得到处都是碎片。

台风横行了近 4 个小时，当太阳再次出现在海面上时，香港已到处都是断壁残垣，废墟中横亘着价值 2 000 万美元的房屋和船只，更有上万人在这场灾难中丧生。

香港素有“东方明珠”之称，它地处东半球海陆交通的中枢，是一个高度现代化的城市。香港以弹丸之地承受巨大的台风侵袭，造成的后果比其他地方更严重，因为这里的人口稠密，经济发达，一旦遭到损坏，无论是人员伤亡还是经济损失，都十分惊人。为了减少和避免风灾带来的损失，香港在加强建筑物的抗风能力、预警系统建设等方面都做了很大的努力，也取得了相当大的成绩，使得这颗“东方明珠”在频频袭扰的台风面前依然熠熠生辉。

# 89. 1953年荷兰风暴潮洪灾

荷兰是欧洲大陆最小的国家之一，总面积约有 4 100 km²。不仅如此，荷兰素以地势低洼著称，全国一半的土地处于或低于海平面。可想而知，荷兰要是没有良好的保护性海防和沿海沙丘，近半个国家将会葬于汪洋。

1953 年 2 月 1 日黎明，一个气旋在扫过北海的上空后，强劲的飓风把 15 亿 m³ 的海水从大西洋推入北海，北海的海水立即涨高了 2 m。强烈的暴风加上高涨的潮水，以排山倒海之势凶猛地袭击了荷兰的西南部，漫过了 3 m 高的海防大堤。古老的的防护堤根本抵挡不住来势汹汹的暴风潮水，滔天的恶浪摧毁 67 道海防堤，著名的临海大坝被撕开 450 个口子。海水恣意直入，淹没了南部荷兰省各处低地以及北部布拉邦特省的部分低地共 1 600 多 km²，国家大半变成了一片汪洋。

被洪水摧毁的房子

当数千吨的水直落低地之时，一向有准备的荷兰人却在当时毫无防备。不少人因太相信著名的临海大坝而表现出令人惊异的麻木和迟钝。一位妇女听到水声，以为是女儿在厨房打翻了水壶。另一位市民则认定那哗哗的水声来自厕所里出了问题的水箱……还有这样一个故事，当风暴潮袭来的时候，一个小镇的镇长正在家里宴请宾客，一位看到海水已经漫堤的妇女跑来报告，市政厅有可能会被水淹没，引起的只是一阵哄笑，还有人“幽默”地提议为洪水干杯；不久，又有人来报告，镇里已经进水了，镇长全然不信，竟喝斥来人：“你一定是疯了！”然而，几个小时之后，全镇就只剩下市政

厅塔尖还露在水面上，整个镇子全在水中！

在这场席卷全国的洪灾中，共有 20 多万头牲畜被淹死。随着冰冷的海水的上升，很多人被困家中，无路可逃。这次洪灾共造成 1 835 人死亡，他们或是被困家中，或是在冰冷刺骨的海水里溺水而亡；72 000 人被疏散，数千人无家可归，很多基本生活用品遭到破坏。荷兰的邻国英国和比利时也遭受到巨大的损失，英国死亡 307 人，32 000 人背井离乡，24 000 幢房屋被损毁，损失总数为 1 亿 2 千万美元；比利时死亡 22 人，损失 6 000 万美元。这场荷兰现代历史上最大的洪水灾害后来被称为“1953 年大灾难”。

当年有一份报告是这样描述被洪水冲毁的村镇的可怕景象的：“许多人的面孔由于恐惧而变形，以致使人无法辨认。那些已被淹没和快要淹没的人群发出可怕的尖叫声，眼看着一些人被洪水吞没……”到处漂着男人、女人、老人、小孩和牲畜的尸体，还有人们的物品。

在荷兰考特基尼镇，人们为了保卫家园，100 多位渔民用自己的身体筑起了一道人墙，支撑着摇摇欲坠的堤坝。他们一直在海水里坚持了好几个小时，最终随同决口的堤坝葬入大海。汹涌的海浪无情地吞没了他们的生命。

1953 年的大洪水是刻在荷兰人心中永远抹不去的悲惨记忆，更是一次值得反思的教训！对荷兰人来说，单一而古老的防洪堤已无法保护他们的家园。虽然遭到了洪灾的严重破坏，但荷兰人并未就此屈服。“1953 年大灾难”过后，全民防灾、抗灾的理念开始在荷兰深入人心。后来，他们推出了一个新的防洪策略，这就是著名的三角洲工程。

# 90. 1970年孟加拉特大热带风暴

南亚次大陆的孟加拉湾是世界上受热带风暴侵害最为严重的地区。孟加拉湾是印度洋的一个风暴源，每年产生热带气旋 115 次，登陆成灾的有一二十次。该地区的孟加拉和印度等国饱受其害。

热带风暴令很多印度人谈虎色变，但若是和孟加拉人所遭受的灾难比起来，印度人还算是幸运的了。孟加拉国呈喇叭状凹入印度次大陆的东侧，是一个面积约 14.27 万 $km^2$ 的国家。它北靠喜马拉雅山脉，西依印度的东高止山脉，东临缅甸的阿拉干山脉，南濒孟加拉湾。当飓风一路呼啸着北上时，孟加拉湾越来越窄，风暴好像进入了一个管状物，而这个管状物的最北端就是孟加拉国。飓风从“管道”中出来后，松开了束缚，将一路积蓄的能量劈头盖脸地掷向这个国家，孟加拉国成了台风的“出气筒”。每到风暴来临时，旋风挟带着海水直扑陆地，若遇大潮，动辄卷起数米乃至近 10 m 高的水墙。由于孟加拉国是低地国家，大部分地区陆地面积仅高出海平面数米，面临的往往是灭顶之灾。历史上，这一地区曾上演重大的热带风暴酿成的人间惨剧，而最严重的一次则要算 1970 年的那场空前的灾害，它造成了 20 世纪最严重的台风灾难。

1970 年 11 月 10 日，在印度海岸旁形成了一个低气压，并以 16 km/h 的速度向北推进。几天后，这个低气压发展成为热带气旋，风速达到 160 km/h。它旋转地进入孟加拉湾，形成了巨大的海潮。

热带风暴留下的伤痛

来自孟加拉湾的旋风以 40 m/s，最大 65 m/s 的惊人风速狂卷而至，此时正值潮汐高潮时刻，狂风卷起 6 m 多高的水墙倾向陆地，挟雷霆万钧之力，以摧枯拉朽之势，将 2.6 万 $km^2$ 土地上的

卫星云图上的风暴

一切扫荡一空。

旋风离去时，三角洲的土地上到处都是人的尸体，仅靠幸存者的力量已无法全部掩埋他们。人们用毛巾包住自己的头和鼻子挡住尸体发出的恶臭。一些村落的人们干脆把尸体堆放在临时扎起的竹筏上，把它们推到海中，可常常在涨潮时，这些尸体又被推回岸上。在约 7 700 km$^2$ 的土地上，房屋被削平，农田被毁坏，淹死的尸体被横七竖八地堆在海边或挂在树枝上。在恒河三角洲中最大的岛屿——波拉岛上，死亡人数达到了 20 万，占总人口的 1/5。吉大港外的 13 个岛屿上没有一人能幸免于难。根据官方统计，在这次台风灾害中死难者总数在 30～50 万人之间，而该地区人口密集，其人口密度达 2 600 人/km$^2$，因此实际的死亡人数还大于这个统计数目。

旋风不仅造成了数十万人的死亡，也沉重地打击了恒河三角洲原本就脆弱的经济。28 万头耕牛死于潮水之中，无数条渔船被冲入大海，4 000 km$^2$ 的稻田被泥土淹没，还差两星期就要收获的稻子 75%烂在田中。饥饿和贫穷比以往更残酷地威胁着村民，他们挣扎着在泥水之中寻找一点点已被水泡涨了的粮食。饮用水也成了一个大问题，淡水几乎没有了，城镇中自来水供应管道垮塌了，村子里的井水泉水也被咸涩的海水和腐烂的尸体污染得又脏又臭，无法饮用。霍乱在兰加巴里岛上流传开来，长期以来不断袭击三角洲的伤寒也再一次暴发。几个星期以后，又有数以万计的人被这些传染病夺去了生命。

这块贫困的土地经过大风暴扫荡以后，文明似乎只剩下几丝微弱的印记，东巴基斯坦陷入水深火热之中，这也加深了东巴基斯坦人同政府之间的矛盾。要求独立的呼声越来越高，并得到了广泛的支持。旋风之后的几个星期，出现了大规模的示威游行。第二年 3 月，内战打了起来，刚刚从灾难中挣扎着站起来的人们又投入到枪战之中。内战硝烟散去时，这里站起了一个新的政权——孟加拉国，它成为世界上唯一一个由台风催化而成的国家。

# 91. 1996年广东风暴潮

广东省地处祖国南疆，北依南岭，东北为武夷山，南临南海，东面有世界最大的海洋——太平洋；全省陆地面积 17.8 万 $km^2$，海岸线 3 368.1 km(不包括岛屿)为全国之冠，沿海港湾众多，岛屿星罗棋布。由于濒临海洋、海岸线长，易遭西太平洋及南海台风袭击，台风以及台风带来的暴雨洪水灾害相当严重。据近 50 年来的资料统计，平均每年登陆广东台风的个数为 3.9 个，占全国的 4 成。

湛江水面上的大桥被吹垮

1996 年 7 至 9 月期间，我国沿海先后发生了 6 次台风风暴潮过程，影响广东和广西沿海的主要是 15 号台风。15 号台风于 9 月 5 日生成在菲律宾以东洋面上，生成后快速向西北方向移动，并加强成热带风暴。风暴移向平稳，但移速很快，达 30～35 km/h，最快时达 40 km/h，于 8 日穿过巴布延海峡进入南海东北部海面，强度迅速增强，中心风速为 45 m/s。

风暴 9 日上午在广东吴川—湛江登陆，登陆时中心最大风速为 50 m/s，中心最低气压达 935 hPa，登陆后继续快速西移。

该台风具有移速快、风力强的特点，台风进入南海后平均速度 38 km/h，最大速度 40 km/h，是正常速度的两倍；登陆时中心附近最大风力 12 级，最大风速 61 m/s，并伴随 11～12 级的旋转风；台风破坏力大，还伴随暴雨，使广东省西南部地区普降暴雨到大暴雨。阳江市的阳春市平均降雨 100 mm，其中卫国镇在 8 小时内降雨 385 mm。湛江市除雷州半岛外，其余地区普遍降雨 40～150 mm。

9月9日，广东和广西沿海在15号台风风暴潮影响期间，产生1.5～2.0 m的增水，广东的黄埔、灯笼山、三灶和闸坡等验潮站出现了超过当地警戒水位的高潮位。受这次风暴潮袭击，广东省江门、阳江、茂名、湛江、珠海、中山等市严重受灾。

据统计，广东省受灾人口837.6万人，死亡330人，倒塌房屋26.8万间，损坏房屋116.4万间，损坏高压输电线路808 km，损坏通讯线路755 km，完全停产工矿企业1万多家，农业受灾面积44.4万 $hm^2$，水产养殖受损2.36万 $hm^2$，水利设施直接经济损失2.2亿元。全省直接经济损失129.03亿元。

湛江市死亡79人，农作物21.84万 $hm^2$、水产养殖1.17 $hm^2$ 受损，冲毁江海堤135.3 km，桥涵168座，损坏船只2 286艘，沉毁1 175艘。遂西县700多艘渔船被损坏，沉没100艘。

阳江市农作物受浸面积32.9万 $hm^2$，损坏渔船366艘，沉没10多艘，崩缺堤围75处2.11 km。

在这次台风袭击过程中，各级政府紧急行动，迅速组织发动群众开展救灾复产，修复水利工程。在农业方面，根据实际灾情，及时调整农业生产结构，“晚稻损失冬种补，水稻损失其他作物补”，水产养殖“海里损失淡水补”；在工业方面，抓紧时间修复厂房、设备，突出重点，择优扶持，分类指导，以点带面，有效地促进了工农业救灾复产工作的开展。

同时，强化社会治安管理和卫生防疫，保证灾区市场物资供应、物价稳定，尽可能使灾情缩小到最低限度。

这次台风再次给沿海多台风地区的人们敲响了警钟，要进一步提高广大群众的防灾意识，“防患于未然”，扎扎实实地做好防灾救灾的各项准备工作。必须重视海防堤围的加固修整，抓好防风设施的建设，解决避风港不避风等问题，提高厂房和住房基础设施的抗风防御能力。同时，还必须提高台风预报的及时性和准确性，运用先进的科学技术，加强对台风的预测，以争取抗御台风的主动性。

# 92. 1997年浙江温岭“三碰头”灾害

“三碰头”是狂风、暴雨、天文大潮三个因子登陆时正好叠加在一起，其造成的灾害损失最惨重。

9711号台风在温岭石塘登陆，就是典型的“三碰头”灾害。9711号台风于1997年8月10日在关岛以东洋面上生成，8月18日21时30分，在浙江省温岭市沿海登陆。登陆时最大风力在12级以上，台风云系范围最大直径1 500 km，其中7级风圈半径有550 km，10级风圈半径有180 km，台风经过的沿海和内陆地区风力有10～12级，并伴有大暴雨和特大暴雨。

受台风正面袭击的台州市，狂风巨浪伴随着暴潮，加上山洪暴发，临江水位猛涨，除1994年17号台风以后新建的海塘以外，一线海塘几乎全线崩溃。全市有190个乡4 800个行政村受灾。受灾人口470多万，61.8万人曾被潮水和洪水围困，紧急转移38万人。受灾农作物近13.3万 $hm^2$，全市减产和损失粮食21万t，损失惨重。

台风中被破坏的民房

椒江市也遭受了有史以来最惨重的损失，海门站的潮位超过历史记录达2小时之久，沿江两岸一片汪洋。13个乡镇278个村受灾，倒塌房屋1 100多间，江边海塘损失39 km，堤防决口78处，1万 $hm^2$ 晚稻受淹，蔬菜绝收。

温州市的56个乡镇进水，全市多处海塘被冲毁、损毁长度达35 km，出现多处

台风引起的海浪

海水倒灌，损失堤防 50 km，决口 163 处。乐清市多处海塘被冲毁或决口，几十处虾塘和养殖场被冲垮。钱塘江北岸的海宁站最高潮位达 9.4 m，为历史最高潮位。沿江堤塘 7 处决口，造成 151 间房屋倒塌，9 000 $hm^2$ 盐田受淹。邻近的海盐县大部分临江堤塘越顶过水，决口 72 处约 8.5 km，其中 2.5 km 与海面贯通相平，全县 25.5 万人全部受灾。在钱塘江南岸，滩涂养殖业遭到严重破坏，渔具被破坏，贝类流失。安东镇标准海塘一度出现大面积决口，焦山镇一线海塘多处被冲塌，最大决口近 500 m，867 $hm^2$ 围垦农田全部受淹，二线海塘的 3 487$hm^2$ 围垦农田也不同程度进水。

临海市沿海 9 个乡的海塘大坝全线崩溃，650 个村庄被海水和洪水围困，多处公路、桥梁等设施被毁。

据不完全统计，在 9711 号台风风暴潮和台风浪期间，浙江省淹死 169 人，损坏堤防 776 km，堤防决口 13 894 处，海水倒灌受淹农田 5.5 万 $hm^2$，受灾人口 1 141 万，227 万群众被洪水和海水围困，直接经济损失约 197.7 亿元。

台风刚离境，国家防总和水利部门领导、专家及时赶到灾区，指导抗洪救灾，中央还临时拨款 1.7 亿元支持浙江救灾补助和水毁修复。浙江省委、省政府作出建设高标准高质量千里海塘的重大决策，计划用三四年的时间建设好 1 000 km 沿海高标准海塘，使大部分海塘达到 50 年一遇的标准，城市及重要地段海塘达到 100 年一遇的标准。

# 93. 1999年福建遭遇40年来最大风雨灾害

福建简称“闽”，地处祖国的东南，素有“东南山区”之称。它西负武夷山脉，东临大海巨涛，与祖国的宝岛台湾隔海相望，地理位置独特而优越。福建拥有长达3 300多km的海岸线，漫长的海岸线分布了不少旅游景区，然而，就在20世纪末的1999年，这片美丽的土地再次遭到了台风的肆虐，给当地的人民带来了沉痛记忆。

1999年10月3日20时，第14号强台风在菲律宾以东洋面上生成，中心气压995帕，进中心风力18 m/s，并逐渐加强为台风，10月5日晚已进入南海东北部海面，20时中心移到北纬18.6°、东经120.1°，也就是在汕头市东南方约640 km附近的海面上，近中心最大风速38 m/s，相当于风力12级以上。9914号台风7日2时在南海中部海面上又折向偏北方向移动，中心风速33 m/s，当天17时又转向西北方向移动，风速38 m/s，并于10月9日上午10时，正面袭击福建省龙海市沿海。此后缓慢向北移动，穿过厦门、泉州、三明市。由于这次台风登陆时正值天文潮的高潮期，狂风、暴雨、巨浪给福建南部造成人员伤亡和巨大的经济损失。台风过后，全省满目疮痍，这是近40年来袭击福建最强的一次台风。

9914号强台风登陆时间晚、路径复杂，带来狂风、骤雨、巨浪、暴潮和洪涝灾害的联合袭击，形成最近40年来登陆福建省造成风雨影响最大的台风。其主要特点：一是风力大、潮位高、滞留时间长。强台风登陆时风力12级，风速33 m/s；二是降雨强度大，范围广，闽东南沿海主要江河全面发洪。强台风导致全省6个地区、33个县遭受暴雨—特大暴雨的猛烈袭击，12个县降大暴雨，13个县降暴雨。日降雨量在400 mm以上的3个县，强降雨又引发了全面的发洪。受风暴潮影响，福建省沿海的潮位普遍增高。东山至沙埕沿海的潮位普遍超过当地警戒潮位，超过当地警戒潮位的站有沙埕、白岩潭、梅花、崇武、厦门、东山6个站，其中崇武站超过警戒水位达60 cm，厦门市出现最大风暴增水122 cm。福建沿海出现波高5～6 m的巨浪。受风暴潮和

巨浪的共同影响，厦门、晋江、惠安、石狮等地的10多处海堤被冲毁，崇武码头被淹。厦门市区、泉州市区街道多处受淹，沿海有多处海堤受损。

群众因暴雨洪水被迫转移

在风、雨、暴潮与洪涝的夹攻下，福建省沿海6地41个县705.15万人受灾，77人死亡，17人失踪，受淹城市6个，倒塌房屋21.45万间，农作物受灾23.874万$hm^2$，成灾15.637万$hm^2$，减收粮食20.8万t，工厂停产6 056家，铁路、公路中断148条，损害路基856.25 km，损坏输电、通讯线路2 688.6 km，厦门、晋江两机场关闭，厦门、漳州火车站关闭，直接经济损失69.75亿元。

莆田市有3个县(区)的21个乡镇16.11万人受灾，37个村庄被潮(洪)水围困，全市倒塌房屋1 500多间，受灾农作物面积4 800 $hm^2$，海堤决口6处。厦门、东山、漳浦等市、县水产养殖损失严重，经济损失近40亿元。

抗击台风中，海堤工程功不可没。全省加固达标后的1 070 km海堤是沿海人民的生命线，在抗御9914号强台风袭击中，保护万亩以上的海堤无一缺口，有力保障了工农业生产和人民生命财产安全，发挥了巨大作用。1998年刚刚加固完成的“三面包”的高标准海堤，在这次台风中发挥了显著效益，海沧6.13 km长的海堤就减少了台商投资区近10亿元的损失。

灾后及时展开自救、重建家园，使厦门、漳州、泉州、莆田、福州等受灾地区群众面对台风灾害时情绪稳定，社会安定。

# 伍

# 大污染

# 94. 1955—1972年日本痛痛病

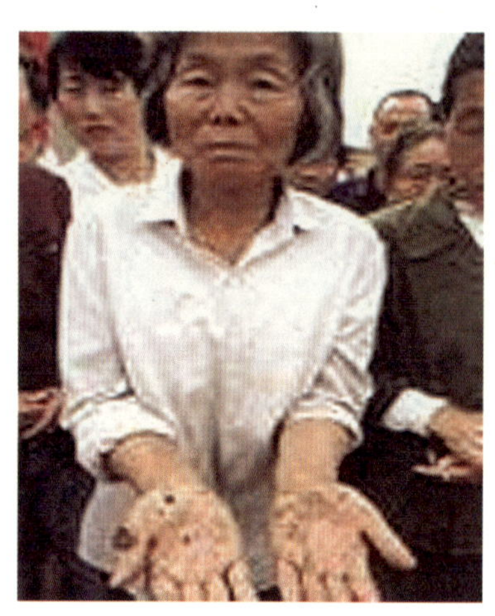

受痛痛病毒害的村民

痛痛病和水俣病一样，也是世界重大公害之一，发生在1955年至1972年的日本。

日本国本州中部的富士平原上，有一条神通川河，河水清澈，千百年来滋润着富士平原肥沃的土地，哺育着河两岸世世代代辛勤劳作的人民。这一带是日本著名的米粮川，盛产大米。后来随着工业的发展，一家名叫“三井金属矿业”的大公司在这里开设了“神冈矿业所”，以炼制金属锌为业。矿业所每日将炼锌的废水源源不断地排入神通川。

1952年，这条河里的鱼大量死亡，两岸稻田大面积死秧减产，该公司不得不赔偿损失300万日元。

1955年以后，在河流两岸如群马县等地，饮用神通川的水，吃神通川浇灌的大米和蔬菜的人们，突然得了一种怪病。患者最初的症状只是腰、手、腿等处关节疼痛，医生以为是风湿性关节炎。可是几年以后，病人大腿痉挛，举步维艰，骨骼发生老化或畸形，只要轻轻一碰就会骨折，甚至咳嗽一声、打个喷嚏，也会导致骨折，连呼吸都剧痛不已。许多病人因疼痛难忍而经常发出“哎哟——哎哟”的呻吟声，日本人便给这种奇怪的顽症起名“哎哟——哎哟病”，我们翻译过来，就称它作“痛痛病”或“骨痛病”。

1961年，富山县成立了“富山县地方特殊病对策委员会”，开始了国家级的调查研究。经过尸体解剖，医生们发现痛痛病人的骨骼已经严重变形和折断。有的病人全身骨折达270多处，有的病人身躯比健康时缩短20～30 cm。死者的肾脏中含有大量的镉，肾功能严重衰竭，骨灰中镉含量高达2%。

原来，神冈矿业所炼锌的水中含有大量的金属镉。它们被源源不断地排入神通川。人们饮用神通川的水，或是吃了神通川水浇灌的大米和蔬菜，

大量的镉就在体内慢慢蓄积。它抢夺了骨骼中钙的位置，所以人的骨头松脆易折、易变形。

镉中毒的潜伏期非常长，一般为10年到30年，而且早期很难被发现，一旦发现，病人就已病入膏肓了。迄今为止，世界上还没有什么有效的药物能将它从人体中排出来。

直到1968年，经调查才证实富山骨痛病是三井金属公司排出镉造成的。同年日本厚生省公布的材料指出，痛痛病发病的主要原因是当地居民长期饮用受镉污染的河水，并食用此水灌溉的含镉稻米，致使镉在体内蓄积而造成肾损害，进而导致骨软化症。妊娠、哺乳、内分泌失调、营养缺乏（尤其是缺钙）和衰老被认为是痛痛病的诱因。但这时的骨痛病已开始在日本各地蔓延了。后来日本骨痛病患区已远远超过神通川，而扩大到黑川、铅川、二迫川等7条河的流域，其中除富山县的神通川之外，群马县的碓水川、柳濑川和富山的黑部川都已发现镉中毒的骨痛病患者。

1968年开始，患者及其家属对金属矿业公司提出民事诉讼，1971年审判原告胜诉。被告不服上诉，1972年再次判决原告胜诉。截至1968年5月，共确诊患者258例，其中死亡128例；到1977年12月，又死亡79例。仅有关方面赔偿的经济损失就超过20亿日元。时至今日，当地仍不断有人为此起诉、索赔。

“痛痛病”的罪魁祸首——镉，是一种银白色的金属。它在自然界中常与锌、铅、铜、锰等物质共存，所以在精炼这些金属时，会排放出大量的含镉废水。

从它的毒性和蓄积作用上来看，镉是污染人类环境、威胁人类健康的第三大金属杀手，仅次于汞和铅。

除了镉以外，还有铅、铜、锰、锌等，我们把这样一系列金属叫做重金属，重金属进入人体后会对人体造成巨大伤害。

各种冶金、建材和化学工厂排放入江河湖海的工厂废水中，含有大量的重金属元素。它们是构成水体污染的一个重要组成部分，会导致各种环境病的暴发。我们应该从“痛痛病”这起震惊世界的公害事件中吸取足够的教训，不要让类似的悲剧再度发生。

# 95. 1956 年日本水俣病

水俣病是众所周知的与汞有关的病症。由于该病症最早在日本熊本县水俣湾发现，故此得名“水俣病”。

水俣镇是位于日本九州南部的一个小镇，属熊本县管辖，全镇有 4 万人，周围村庄还住着 1 万多农民和渔民。由于西面就是产鱼的“不知火海”和水俣湾，因此这个小镇渔业很兴旺。

1925 年，一个资本家在此建成一个小工厂，叫日本氮肥公司。1932 年又扩建了合成醋酸工厂，1949 年开始生产氯乙烯。1956 年产量超过 6 000 t。这个企业由此而发家，然而在这“繁荣”的背后却酝酿着一场灾难。

1956 年，水俣湾附近发现了一种奇怪的病。这种病症最初出现在猫身上，被称为“猫舞蹈症”。病猫步态不稳，抽搐、麻痹，甚至跳海自杀，被称为“自杀猫”事件。随后不久，此地也发现了患这种病症的人。患者轻则口齿不清、步履蹒跚、面部痴呆、手足麻痹、感觉障碍、视觉丧失、震颤、手足变形，重则神经失常，或酣睡，或兴奋，身体弯弓高叫，直至死亡。当时这种病由于病因不明而被叫做“怪病”。得这种病的人越来越多，不大的小镇，竟然有 100 多人得上这种怪病，先后有 60 多人在极度痛苦中离开了人世。还有的孕妇，产下了似人非人的怪胎。

这种“怪病”就是日后轰动世界的“水俣病”。“水俣病”的罪魁祸首是当时处于世界化工业尖端技术的氮(N)生产企业。氮用于肥皂、化学调味料等日用品以及醋酸($CH_3COOH$)、硫酸($H_2SO_4$)等工业用品的制造上。

氯乙烯和醋酸乙烯在制造过程中要使用含汞(Hg)的催化剂，这使排放的废水含有大量的汞。当汞在水中被水生物食用后，会转化成甲基汞($CH_3HgCl$)。这种剧毒物质只要有挖耳勺的一半大小就可以致人于死命，而当时由于氮的持续生产已使水俣湾的甲基汞含量达到了足以毒死日本全国人口两次都有余的程度。水俣湾由于常年的工业废水排放而被严重污染了，水俣湾里的鱼虾类也由此被污染了。这些被污染的鱼虾通过食物链又

进入了动物和人类的体内。甲基汞通过鱼虾进入人体，被肠胃吸收，侵害脑部和身体其他部分。进入脑部的甲基汞会使脑萎缩，侵害神经细胞，破坏掌握身体平衡的小脑和知觉系统。据统计，有数十万人食用了水俣湾中被甲基汞污染的鱼虾。

智子入浴（智子是水俣病患者）

“水俣病”危害了当地人的健康和家庭幸福，使很多人身心受到摧残，经济上受到沉重的打击，甚至家破人亡。更可悲的是，由于甲基汞污染，水俣湾的鱼虾不能再捕捞食用，当地渔民的生活失去了依赖，很多家庭陷于贫困之中。

表面看起来，排入海洋的工业废水与和平的居民们毫无瓜葛，可通过环境的作用，竟然产生了如此严重的后果。水俣湾因为该病出了名，水俣病成了一种极为典型的环境病。然而，此病并非只有在水俣湾才有，随后在瑞典、芬兰、美国等国家也都出现了类似的病症，即使我国也没有幸免。

日本在二次世界大战后经济复苏，工业飞速发展，但由于当时没有相应的环境保护和公害治理措施，致使工业污染和各种公害病随之泛滥成灾。除了“水俣病”外，四日市哮喘病、富山“痛痛病”等都是在这一时期出现的。日本的工业发展虽然使经济获利不菲，但难以挽回的生态环境的破坏和贻害无穷的公害病使日本政府和企业日后为此付出了极其昂贵的治理、治疗和赔偿的代价。

# 96. 1967年“托利·康昂”号油轮泄油事件

1967年3月18日清晨，“托利·康昂”号油轮爆炸，大量泄漏的石油对生态造成的危害至今没有完全消除。

“托利·康昂”号漏油场面

意大利石油运输油轮“托利·康昂”号建于美国，航行时悬挂利比里亚国旗。这艘油轮是世界上最大的油轮之一。世界上所有报纸都称它是新世纪的先驱，因为人们认为新世纪将是全球海上运输石油的世纪，未来属于大型油轮，它可以向地球各个地方提供能源。然而“托利·康昂”号的不幸向全世界发出警告：人类过分轻率的技术开发活动，将带来新的灾难——全球环境污染，由此将对人类生存造成不可逆转的严重后果。

3月18日凌晨两点，鲁加基船长结束值班后到船舱去休息，恰此时，在船长桥楼上的值班员发现距油轮前25海里处，正对油轮前进方向，有一块毕晓普岩石。这也没有什么可担心的，因为装上的雷达装置已在岩石上做了标记，是可以及时改变航向而避开这块岩石的。

油轮整整一夜都准确无误地朝北——英国方向行驶。巨大的船舱装载着12万t科威特原油，用于向米尔福德(南威尔士郡)输送原油。据航船长推算，他们可以从西部绕过毕晓普岩石，但是航船长的推算有误。

早晨6点，值班的校官校对了船的位置，发现他们已经偏离航线，于是他立刻切断了自动航行装置，下令改变航向。但当他通过电话向船长汇报时，船长否定了他的正确处理，下令回到原航向。校官尊重船长的命令，重新开动自动航行装置。

油轮一直向前行驶着，突然航线前方出现了两艘渔船。“托利·康昂”号正以每小时16海里的速度行驶，或者撞上两艘渔船，或者……鲁加基这才醒悟过来，但惨剧注定发生。轮船正处于自动航行中，等大家切断装置改用手动操纵来改变航向时，性命攸关的几秒钟已错过。

早上8点50分，“托利·康昂”号驶向第一块暗礁，被死死地卡住动弹不得，情况很不妙，石油开始从船舱喷涌而出。更糟糕的情况还在后面，油轮被撞穿的洞居然长150 m，是船体的一半！这意味着有23个油舱往外倾泻原油(约每小时6 t)。此时船身已被黑乎乎的石油包围。

11点，英国皇家海军第一架直升飞机到了事故现场；一小时后，一艘荷兰专用营救拖船赶来；中午两点，三艘拖船和两艘皇家海军军舰也赶来；伦敦获悉也开始行动。但石油仍在蔓延。至当天晚上，油轮向海里流出4万t原油，在海面上逐渐扩散开来，海水变成黑亮色。

皇家海军舰队的船只向不断涌出的石油边上喷洒去污剂，但收效甚微。有关专家被请来，但拯救油轮的先决条件是好天气及油轮保持完整，事态发展已无法控制。3月21日，油轮尾部的上方建筑发生爆炸，爆炸威力巨大，船体外壳被炸坏。

情况愈来愈严重。先是刮起了大风，海上出现了风暴，在油轮旁边工作的船只可能会相撞。此外，风不是将石油吹上大洋，而是吹向岸边。风越来越大，救援工作停滞不前。

3月25日，石油流到岸边。黑黑的、浓稠的污物中挣扎着无数只海鸥及其他海鸟。3月26日，油轮断成两截，又有5万t石油泄漏进海里。3月27日，整个威尔逊半岛的海岸线全都被石油淹没。

大片的石油流向英国北海岸，并向法国海岸扩散。仿佛注定要发生不幸——一场50年来罕见的春潮使泄漏的石油大肆蔓延。因此，伦敦决定炸毁“托利·康昂”号。三天内，歼击机将炸弹扔到已折断的油轮上。第一批炸弹扔下去后，升腾起的烟雾及大火遮挡住了视线，无法从800 m高空瞄准目标投掷炸弹，但几十枚炸弹还是击中了目标。歼击机向熊熊大火加上燃料，油轮上的石油全部被烧尽。

# 97. 2002年"威望"号油轮泄漏

2002年11月13日,"威望"号油轮满载7.7万t的燃油行驶在西班牙加利西亚海域履行着它的使命。突然,海上起了8级风暴,巨大的力量使得油轮慢慢失去控制,最后搁浅在岩石中。

但船体受到了伤害,35 m长的大裂口在油轮上"绽放",失去控制的燃油如脱缰的野马般奔腾而出,附近海域被黑乎乎的石油覆盖。11月19日,撑了6天的船体终于支撑不住,在离葡海域约50海里处断为两截并下沉。整个过程泄漏的燃油估计有1万多t,长达400 km的海岸受到严重污染,成百上千的海鸟受到危害,当地渔业也遭受严重威胁。12月1日又有一大片——估计数量达9 000 t漏出的油污,在向西班牙西北部海岸逼近,使当地的生态环境再次受到严重威胁。生态学家称这可能是世界上最严重的燃油泄漏事件之一。

"威望"号油轮断裂下沉

在"威望"号触礁遇险的西班牙加利西亚省海域,生态环境遭到了严重的污染,几十万只鸟受到威胁,其中包括一些稀有的海雀科鸟类。据当地一位正在参与救援的官员称,在污染最严重的海域,泄漏的燃油有38.1 cm厚,一眼看去海面上一片黑,偶尔还可以在海滩上看到几只垂死的鸟。由于数十万鸟类都在事发海域过冬,生态学家担心燃油的泄漏将会对当地的生态环境造成毁灭性打击,一些珍贵物种可能会从此不复存在。

"威望"号油轮于1976年建成,是一艘在巴哈马注册的希腊油轮。该油

轮 2001 年 5 月曾在中国被检查出不符合安全标准，但船主仍然让它承担运油的职责。

8 级大风固然是造成这次灾难的一个原因，但几乎所有分析都认为，灾难的真正原因在于“威望”号本身。这艘已经航行了 26 年的单壳油轮陈旧不堪，自 1999 年以来一直没有检修，而且单壳远洋油轮已经被现代造船技术认为是有违环境保护原则的不安全的设计。据相关资料统计，单壳油轮的失事率比双壳油轮高 5 倍。然而，目前全球各地仍在航行的油轮中有 60%是单壳油轮。

近年来，国际海运业发展迅猛，但国际海运业的监管工作却严重滞后。“威望”号悲剧发生后，德国、法国和西班牙等国纷纷呼吁加强海运安全管理。欧盟委员会也提出了一系列加强海运安全的新建议，并表示将把欧洲海事安全局的总部临时设在布鲁塞尔。

清洗浑身油污的海鸥

对于赔偿问题，按照国际惯例，赔偿包括直接损失，比如水产事业养殖户、沿岸的旅游业、沿岸的有关设施；清除油污的花费；海洋环境、海洋生态的恢复费用，等等。西班牙政府初步估计，清理被燃油污染的海滩直接成本可能高达 4 200 万欧元。按照惯例，只要责任在于船东，就由船东负责赔偿，但是有时因为事故很大，船东无法支付，于是由《国际海上溢油基金赔偿公约》的参加国来支付。

“威望”号事件引起了国际社会的高度关注，大家呼吁应该管管破烂船以确保海洋安全。“威望”号事件未来的危害现在谁也说不清，怎么来处理这颗“定时炸弹”国际社会也还没有拿定主意。但有一点人们都已认清，国际社会应该立即行动起来，以防止目前游荡在全世界的 3 500 多艘大大小小的油轮重演“威望”号的悲剧。

## 98. 2005年松花江水污染

2005年，松花江污染事件震惊了世界。11月13日，受中国石油天然气股份有限公司吉林石化分公司事故影响，松花江发生重大水污染事件。有专家说，把它看成是建国以来最大的环境污染事故一点不过分。

2005年11月13日下午1时45分，中国石油天然气股份有限公司吉林石化分公司双苯厂硝基苯精馏塔发生爆炸，造成8人死亡，60人受伤，并造成新苯胺装置、1个硝基苯储罐、2个苯储罐报废，导致苯酚、老苯胺装置、苯酐装置、2、6—二乙基苯胺等四套装置停产，直接经济损失6 908万元。爆炸事故的直接原因是，硝基苯精制岗位外操人员违反操作规程，在停止粗硝基苯进料后，未关闭预热器蒸气阀门，导致预热器内物料气化；恢复硝基苯精制单元生产时，再次违反操作规程，先打开了预热器蒸气阀门加热，后启动粗硝基苯进料泵进料，引起进入预热器的物料突沸并发生剧烈振动，使预热器及管线的法兰松动、密封失效，空气吸入系统，由于摩擦、静电等原因，导致硝基苯精馏塔发生爆炸，并引发其他装置、设施连续爆炸。

由于发生爆炸的车间距离松花江只约数百米，导致松花江水体受到污染，造成约100 t的有毒化学物质如苯、苯胺及硝基苯流入松花江，使得水质浓度超出中国水质标准。因松花江、辽河的干支流和部分湖泊水库污染严重，影响到城市居民集中饮用水源质量。

松花江畔因水体污染而死亡的鱼

14日10时，吉化公司东10号线入江口水样有强烈的苦杏仁气味，苯、苯胺、硝基苯、二甲苯等主要污染物指标均超过国家规定标准。松花江九站断面5项指标全部检出，以苯、硝基苯为主，右岸超标100倍，左岸超标10倍以上。11月20日16时污染团到达黑龙

被污染的松花江

江和吉林交界的肇源段，硝基苯开始超标，最大超标倍数为29.1倍，污染带长约80 km，持续时间约40小时。

受松花江污染的影响，11月17日到23日下午，松原市自来水公司为避开松花江上游来的污染团，停止了对该市宁江区松花江以北地带的供水。11月21日，哈尔滨市政府发布通告，称市区市政供水管网设施要进行全面检修，决定从11月22日中午12时起，停水4天。顿时，流言纷起，不少哈尔滨人开始出城，道路一度发生拥堵。有人抢购食品，甚至露宿户外。

由于松花江最终汇入黑龙江（俄罗斯称“阿穆尔河”），11月22日，中国外交部正式就松花江苯污染事件知会俄罗斯，并向俄罗斯方面通报了松花江水体污染的有关情况。12月22日，就在吉化爆炸案发生一个多月之后，所造成的污染带前锋“跋涉”数千公里，流经松花江汇入阿穆尔河，抵达了俄罗斯远东城市哈巴罗夫斯克。由于吉化爆炸事故牵扯到跨国污染，中俄之间的索赔谈判也已经艰难启动。

污染事件发生后，吉林省有关部门迅速封堵了事故污染物排放口；加大丰满水电站的放流量，尽快稀释污染物；实施生活饮用水源地保护应急措施，组织环保、水利、化工专家参与污染防控；沿江设置多个监测点位，增加监测频次，有关部门随时沟通监测信息，协调做好流域防控工作。黑龙江省财政专门安排1 000万元资金专项用于污染事件应急处理。

松花江发生了历年来最严重污染事件，对生态影响巨大，可能会有三个后遗症：一、硝基苯在鱼类等水生物体内积聚，污染食物链，沿江动物及人类食用后将损害身体，居民至少半年内不能食江鱼；二、硝基苯不易被微生物分解，有毒物质长期残留于江水中，今后的江水未必适合饮用，当局必须频密检测；三、硝基苯水溶性低，容易在松花江底泥土沉淀积聚，并顺着水流污染其他江河及沿岸生物。

# 99. 2007年太湖蓝藻事件

太湖，位于江苏和浙江两省的交界处，长江三角洲的南部，是我国东部近海区域最大的湖泊，也是我国第三大淡水湖。太湖以优美的湖光山色和灿烂的人文景观闻名中外，是我国著名的风景名胜区，每年都吸引大量的中外游客前来观光游览。自1990年夏天，太湖梅梁湖蓝藻泛滥后，蓝藻便频频光顾太湖。

2007年5月29日，灾难再次降临到了太湖。太湖突然暴发的大规模蓝藻污染了无锡市的自来水。在长达一周的时间里，人们被挥之不去的恶臭包围着，所有人都依赖纯净水度日——用之烧饭、刷牙、洗脸甚至洗澡。整个无锡被笼罩在饮水危机的巨大阴影之中。

市民抢购纯净水

5月份连续多日的高温暴晒导致大量蓝藻积累、死亡、腐烂，在水面形成一层有腥臭味的浮沫，大面积水域水质开始发臭。就在有关部门商讨对策之际，蓝藻不断在太湖梅梁湖、贡湖累积。5月28日，蓝藻大量死亡并发臭，无锡市除锡东水厂外，其余的自来水厂水源地水质均受到污染，而这些水厂供应的生活用水量占全市的70%，影响到200万人的生活饮用水。

然而自来水发臭后，无锡市并没有停止自来水供应，也没有及时就水已被污染的情况发出通报。5月29日，被污染的自来水通过四通八达的管网进入千家万户。群体性恐慌在无锡全城蔓延，几乎所有的市民都加入了抢购矿泉水行列，超市、商店里的纯净水被抢购一空。

此次水危机的规模和影响超过了1990年的那次太湖蓝藻污染事件。从1991年开始，国家启动了太湖治理工程。然而，此次2007年的无锡蓝藻污染事件又凸显出太湖水质已被深度污染的现实。这也意味着，耗时16年，耗资几百亿元的太湖治污工程成效甚微，太湖的污染还在加重。

太湖中厚厚的蓝藻

2007年6月5日是世界环境日，这是人类守护环境，守护自己家园的日子。太湖的蓝藻在这时候暴发了，并以"猖獗"的姿态给我们敲响了警钟。多年治理，太湖不清反污，教训深刻。这引起了党中央的高度重视，温家宝等国家领导人多次来到太湖视察蓝藻的治理情况，国家也对蓝藻的治理投入了大量的资金。无锡市政府针对这种情况紧急出台了一系列措施，预计到2008年无锡市将关闭772家化工企业。从5月份开始，水利部门从长江流域引入10多亿立方水，来缓解太湖的蓝藻问题。通过各方努力，太湖蓝藻问题一时缓解了，无锡水危机也暂时过去了。但人们都在期待通过这次太湖环境危机的教训，把太湖治污的责任明确起来，真正做到"谁污染，谁负责"，为跨界湖泊的环境治理探索出新机制，使太湖治污目标不再落空。

"太湖美啊太湖美，美就美在太湖水。"这首人尽皆知的江南民歌《太湖美》，唱出了江南水乡太湖的昔日的美景。而如今的我们在唱着或听到这首歌的时候心里会有什么感受呢？如果不停止我们的污染行为，美丽的太湖将永远成为我们的回忆。

# 陆

## 大冰雪

# 100. 2008年中国南方罕见冰雪灾害

2008年1月10日以来，中国南方大部分地区发生半个世纪以来最严重的冰雪灾害。此次大范围强雪天气的直接原因是大气环流的异常，与“拉尼娜”事件有关。此外，2008年是太阳活动的低值年，导致冬季温度比较低，造成冬季低温阴雨天气。

折断的电塔

连续大范围的雨雪灾害严重影响了中国的电网及交通网，给食品和能源的运输带来了极大的困难。此次雪灾发生在中国春节临近期间，也正是中国交通最繁忙的春运期间，因此给交通带来了空前的压力。

在受灾省份里，湖南、湖北、贵州、广西、江西、安徽这六个省区灾情比较严重，特别是湖南郴州为此次雪灾中的重灾区。郴州从1月25日开始电网崩溃，受损程度超过了整个湖南省受损电网的一半，受灾人数逾400万，一度成了与外部电力、交通、信息完全隔绝的“孤岛”与“死城”，由此揭开了一场特大冰雪灾害的序幕。

1月25日18时30分起，湖南、江西、贵州等地电力系统接连发生故障，严重波及铁路，京广线、沪昆线等主要干线牵引供电网和通信信号系统中断，导致铁路运输系统瘫痪，造成大量列车滞留、晚点和停运，南方部分地区列车旅客滞留积压严重。截止到1月31日晚上18点，累计始发终到晚点客车达到2 859列，停运客车397列，迂回客车436列，影响货物列车8 000多列，车站和列车上累计滞留旅客580多万人，广州地区滞留旅客最多达80多万人。高速公路和民航也因大雪封道滞留或者停开。

由于许多越冬作物主要在南方，雪灾对冬季农业生产的影响非常严重。此次灾害，因低温冻害作物受灾1 186.7万 $hm^2$，其中成灾582.3万 $hm^2$，绝

民警用铁锹破冰

收 157.1 万 hm²，油菜、蔬菜、柑橘和小麦等作物受冻程度比较严重。雪灾还在一定程度上导致畜禽保温、引水和饲料供应问题紧张。据统计，死亡的生猪 87.4 万头，牛 8.5 万头，羊 45.9 万只，家禽 1 435.6 万只。截至 2 月 26 日，全国因灾死亡 129 人，失踪 4 人；紧急转移安置 166 万人，倒塌房屋 48.5 万间，损害房屋 168.6 万间，因灾造成的直接经济损失达到了 1 516.5 亿元。

面对这场大面积雨雪冰冻灾害，各级领导干部靠前指挥，日夜奋战，迅速实施了一系列超常的抗灾救灾措施。各地紧急对电网、电力、铁路、公路设施进行抢修，社会各界以各种方式对灾区进行支援，灾区交通拥堵、人员滞留和群众缺电受冻的困境有所缓解。危难时刻，空军运输航空兵某团闻令出动，昼夜往飞于祖国的大江南北，执行空中紧急运输任务，短短 8 天内飞行 75 架次，起降 19 个军民用机场，跨越 18 个省区市，抢运救灾物资 779.5 t，安全飞行 8.5 万 km，及时把党和政府的温暖送到受灾群众手中。至 2 月 17 日，经过 20 多天的电网抢修，郴州所辖的两区一市八县主城区通上了电，郴州从应急抢险全面转入恢复重建阶段。这次大雪分为四次大范围降雪过程，在抗灾救灾过程中，随着新一轮大面积低温降雪天气的到来，一些地方的灾情再度加重。灾情进一步恶化，给群众的生产生活带来更大的影响。

被冰雪覆盖的轿车

罕见雨雪冰冻兆示水灾害呈现日益多元化极端化，应引起人们的警觉及关注，有针对性地采取抗灾救援措施，并根据新出现的变化及时调整处置策略和手段。

# 参考文献

1. 骆承政,乐嘉祥主编. 中国大洪水——灾害性洪水述要. 北京:中国书店出版社,1996.

2. 水利部长江水利委员会. 中国水旱灾害系列专著——长江流域水旱灾害. 北京:中国水利水电出版社,2002.

3. 国家防汛抗旱总指挥部办公室,水利部南京水文水资源研究所. 中国水旱灾害系列专著——中国水旱灾害. 北京:中国水利水电出版社,1997.

4. 赵春明,刘雅鸣,张金良,史光前主编. 20 世纪中国水旱灾害警世录. 郑州:黄河水利出版社,2002.

5. 黄河流域及西北片水旱灾害编委会. 中国水旱灾害系列专著——黄河流域水旱灾害. 郑州:黄河水利出版社,1996.

6. 李春生主编. 自然灾难. 南海出版公司,2006.

7. 宋俭,王红主编. 大劫难——300 年来世界重大自然灾害纪实. 武汉:武汉大学出版社,2004.

8. 《地理教育》,1999(1).

9. [俄]H. 约尼娜,M. 库别耶夫,著. 王凤英,冯俊译. 世界 100 灾难. 北京:东方出版社,2006.

10. http://www.hwcc.com.cn/scholar/static/panjiazheng/static/paper07-02-02.htm.

11. http://www.chinacitywater.org/bbs/archiver/?tid-43616.html.

12. http://bbs.cjk3d.net/bbs/dv_rss.asp?s=xhtml&boardid=80&id=16492&page=6.

13. http://post.baidu.com/f?kz=214231318.

14. http://www.jaha.org/edu/flood/story/img/loc_flood_damage/pages/loc_3b26407r.html.

15. http://www.jaha.org/edu/flood/story/img/loc_flood_damage/pages/loc_3b26432r.html.

16. http://www.buildbook.com.cn/ebook/2007/B10039613/4.html.
17. http://www.waterpub.com.cn/jhdb/DetailRiver.asp? ID=121.
18. http://mo.water.usgs.gov/Reports/1993—Flood/index.htm.
19. http://www.fs121.com/channele/topic/pic/pic04.html.
20. http://www.eeo.com.cn/eobserve/eeo/jjgcb/2007/05/16/63200.html.
21. http://economy.guoxue.com/article.php/4565.
22. http://www.cppcc.gov.cn/rmzxb/cszk/200411300051.html.
23. http://history.163.com/06/0907/10/2QDLF9RR00011247.html.
24. http://www.0562.cc/pic/laozhaopian/200701/0380648_4.php/.
25. http://vivienne927.spaces.live.com/.
26. http://www.cams.cma.gov.cn/htdocs/ganhan1990—1999.htm.
27. http://www.rcdr.org.cn/Index/display.asp? NewsID=434.
28. http://zhengzhou.cncitymap.com/scenic/ZhengZhou DaCiDianDeLi-JuanSi-3oap04-4.shtml.
29. http://www.nhweather.gd.cn.
30. http://www.hwcc.com.cn/newsdisplay/newsdisplay.asp? Id=170726.
31. http://www.rcdr.org.cn/Index/message.asp? MessageID=808.
32. http://big5.xinhuanet.com/gate/big5/news.xinhuanet.com/world/2006-07/20/conte nt_4859699_1.htm.
33. http://www.hrbhbj.gov.cn/article/Article_Print.asp? ArticleID=2984.
34. http://zhidao.baidu.com/question/13837648.html.
35. http://www.galleryofchina.cn/homepage/yishu-guancha/liulibing.html.
36. http://www.cnluye.com/zw/ncdt_1_details.php? bh=55992/.
37. http://www.china-hubei.gov.cn/hbgk/jcss/shuili/.
38. http://www.envir.gov.cn/info/2003/8812949.htm.
39. http://www.mwr.gov.cn/xwpd/mtjj/20070425232434f4597f.aspx.
40. http://water.nc.gov.cn/news/hqjj/200383155028.htm.
41. http://hi.baidu.com/touji/blog/item/ce7806b3674a727d-9335af3.

htm.
42. http://www.goofiz.com/forum/viewthread/php? tid=505718.
43. http://news1.jrj.com.cn/newspic/20060903/200609031532499591 8.jpg.
44. http://news.sina.com.cn/c/2006-09-01/18309913239s.shtml.
45. http://www.cqwx.ner/? uid/5819.
46. http://travel.sohu.com/20070628.n250815748_1.shtml.
47. http://www.fudank.com/Article/ShowArticle.asp? ArticleID=13585.
48. http://www.aqyf.net.cn/Article/ShowArticle.asp? ArticleID=4343.
49. http://www.blogcn.com/u/91/24/zhujingjin/blog/46705647.html.
50. http://news.cpst.net.cn/2004_10/1098779441.html.
51. http://www.aqyf.net.cn/Article/ShowArticle.asp? ArticleID=4343.
52. http://images.google.cn/imgres? imgurl=http://www.lotour.com/imagessnapshot/20061129/.
53. http://pde.yxms.net/yule/zs/4010.html.
54. http://mardechile.cl/educacion/index.php? option=com_content&task=view&id=50&Itemid=69.
55. http://baike.baidu.com/view/77901.htm.
56. http://www.chinabaike.com/article/sort0525/sort0557/2007/20070803157408.html.
57. http://images.google.cn/imgres? imgurl=http://vilda.alaska.edu.
58. http://www.psychcn.com/hots/tsunami/200501/36961.
59. http://news.sina.com.cn/w/2005-02-08/14025817471.shtml.
60. http://news.xinhuanet.com/world/2004-12/28/content_2388285.htm.
61. http://www.losn.com.cn/calamity/32.htm.
62. http://sports.eastday.com/epublish/gb/paper263/21/class026300002/hwz366782.htm.
63. http://www.uua.cn/Discovery/2007/0112/2788.html.

64. http://www.21xc.com/chebao/list.asp? id=38150.
65. http://www.ycwb.com/gb/content/2005-09/23/content_989502.htm.
66. http://www.wikilib.com/wiki? title=%E4%B8%99%E5%8D%88%E9%AA2%A8%E7%81%BD&variant=zh-cn.
67. kaycnl.tripod.com/year/THERING2.jpg
68. http://www.xici.net/b564664.d54054078.htm.
69. http://www.cbc.ca/news/background/forcesofnature/natural-disasters.html.
70. http://bbs.typhoon.gov.cn/simple/index.php? t6917.html.
71. http://images.google.cn/imgres? imgurl=http://www.daliandaily.com.cn.
72. http://www.taifeng.org/kb/3-meet-typhoon/.
73. http://www.rcdr.org.cn/Index/message.asp? MessageID=941.
74. http://www.i3721.com/gz/tbjak/g2/g2sw/200606/69099.html.
75. http://www.people.com.cn/GB/huanbao/56/20011123/611853.html.
76. http://www.i3721.com/gz/tbjak/g2/g2sw/200606/69098.html.
77. http://www.lrn.cn/specialtopic/38EarthDay/xianzhuang/zibai/200704/t20070419_52357.htm.
78. http://lwl.czyz.com.cn/hyzy/huanjing/weiwanghao.htm.
79. http://photo.qianlong.com/4404/2004/11/19/1340@2381212.htm.
80. http://www.jcrb.com/n3/by2/ca254179.htm.
81. http://zhengzhouhuanbaoze.blog.163.com/blog/static.
82. http://taihuluntan.blog.hexun.com/.
83. http://www.zhongguook.com/public/web/szzh/2004-06/1086085354.html.
84. http://www.shui-li.com.cn/Html/2007-04-08/17890.shtml.
85. http://www.prol.com.cn/web/Article.aspx? ArtId=1825&BarId=295.
86. http://baike.baidu.com/view/636219.htm.
87. http://www.3gp4.com/view/636219.htm.

88. http://www. scapeworld. com/10shijieziranjingguan/10shijieziranjingguan11. htm.
89. http://zzys. agri. gov. cn/zaihai/data/193. htm.
90. http://www. 9654. com/m/holand. htm.
91. http://airchinanews. com/imerl/article/20070528/4616_2. shtml.
92. http://www. people. com. cn/english/9808/21/target/newfiles/G103. html.
93. http://www. people. com. cn/GB/huanbao/1074/2090130. html.
94. http://news. xinhuanet. com/photo/2006-06/24/content_4743335. htm.
95. http://www. chuguo. cn/news/69847. xhtml.
96. http://baike. baidu. com/view/209546. htm.
97. http://www. hoodong. com/wiki/%E6%B3%A2%E6%B2%B3.
98. http://www. fwtxw. com/lunwenzhongxin/ligonglunwen/gongchenglunwen/20061220/73217. html.
99. http://www. buildbook. com. cn/ebook/2007/B10039613/4. html.
100. http://www. waterpub. com. cn/jhdb/DetailRiver. asp? ID=121.
101. http://mo. water. usgs. gov/Reports/1993—Flood/index. htm.
102. http://www. buildbook. com. cn/ebook/2007/B10039613/4. html.
103. http://www. waterpub. com. cn/jhdb/DetailRiver. asp? ID=121.
104. http://mo. water. usgs. gov/Reports/1993—Flood/index. htm.
105. http://www. fs121. com/channele/topic/pic/pic04. html.
106. http://www. eeo. com. cn/eobserve/eeo/jjgcb/2007/05/16/63200. html.
107. http://economy. guoxue. com/article. php/4565.
108. http://www. cppcc. gov. cn/rmzxb/cszk/200411300051. htm.
109. http://history. 163. com/06/0907/10/2QDLF9RR00011247. html.
110. http://www. 0562. cc/pic/laozhaopian/200701/0380648_4. php/.
111. http://vivienne927. spaces. live. com/.
112. http://www. cams. cma. gov. cn/htdocs/ganhan1990—1999. htm.
113. http://www. rcdr. org. cn/Index/display. asp? NewsID=434.
114. http://www. nhweather. gd. cn.

115. http://www.hwcc.com.cn/newsdisplay/newsdisplay.asp?Id=170726.
116. http://www.rcdr.org.cn/Index/message.asp?MessageID=808.
117. http://big5.xinhuanet.com/gate/big5/news.xinhuanet.com/world/2006-07/20/content_4859699_1.htm.
118. http://www.hrbhbj.gov.cn/article/Article_Print.asp?ArticleID=2984.
119. http://zhidao.baidu.com/question/13837648.html.
120. http://www.galleryofchina.cn/homepage/yishu-guancha/liulibing.html.
121. http://www.cnluye.com/zw/ncdt_1_details.php?bh=55992/.
122. http://www.china-hubei.gov.cn/hbgk/jcss/shuili/.
123. http://www.mwr.gov.cn/xwpd/mtjj/20070425232434f4597f.aspx.
124. http://water.nc.gov.cn/news/hqjj/200383155028.htm.
125. http://www.goofiz.com/forum/viewthread/php?tid=505718.
126. http://news1.jrj.com.cn/newspic/20060903/2006090315324995918.jpg.
127. http://news.sina.com.cn/c/2006-09-01/18309913239s.shtml.
128. http://www.cqwx.ner/?uid/5819.
129. http://travel.sohu.com/20070628.n250815748_1.shtml.
130. http://www.fudank.com/Article/ShowArticle.asp?ArticleID=13585.
131. http://www.aqyf.net.cn/Article/ShowArticle.asp?ArticleID=4343.
132. http://www.blogcn.com/u/91/24/zhujingjin/blog/46705647.html.
133. http://news.cpst.net.cn/2004-10/1098779441.html.
134. http://www.aqyf.net.cn/Article/ShowArticle.asp?ArticleID=4343.
135. http://images.google.cn/imgres?imgurl=http://www.lotour.com/imagessnapshot/20061129/.
136. http://mardechile.cl/educacion/index.php?option=com_content&task=view&id=50&Itemid=69ß.

137. http://pde. yxms. net/yule/zs/4010. html.
138. http://baike. baidu. com/view/77901. htm.
139. http:// www. chinabaike. com/article/sort0525/sort0557/2007/20070803157408. html.
140. http://images. google. cn/imgres? imgurl=http://vilda. alaska. edu.
141. http://news. sina. com. cn/w/2005-02-08/14025817471. shtml.
142. http://news. xinhuanet. com/world/2004-12/28/content_2388285. htm.
143. http://www. psychcn. com/hots/tsunami/200501/36961.
144. http://www. losn. com. cn/calamity/32. htm.
145. http:// sports. eastday. com/epublish/gb/paper263/21/class026300002/hwz366782. htm.
146. http://www. uua. cn/Discovery/2007/0112/2788. html.
147. http://www. 21xc. com/chebao/list. asp? id=38150.
148. http:// www. ycwb. com/gb/content/2005-09/23/content_989502. htm.
149. http:// www. wikilib. com/wiki? title=%E4%B8%99%E5%8D%88%E9%A2%A8%E7%81%BD&variant=zh-cn.
150. kaycn1. tripod. com/year/THERING2. jpg.
151. http://www. xici. net/b564664. d54054078. htm.
152. http://www. cbc. ca/news/background/forcesofnature/natural-disasters. html.
153. http://bbs. typhoon. gov. cn/simple/index. php? t6917. html.
154. http://images. google. cn/imgres? imgurl=http:// www. daliandaily. com. cn.
155. http://www. taifeng. org/kb/3-meet-typhoon/.
156. http://www. rcdr. org. cn/Index/message. asp? MessageID=941.
157. http://www. i3721. com/gz/tbjak/g2/g2sw/200606/69099. html.
158. http:// www. people. com. cn/GB/huanbao/56/20011123/611853. html.
159. http://www. i3721. com/gz/tbjak/g2/g2sw/200606/69098. html.

# 「后记」

为了弘扬中国传统文化，挖掘发展中华水文化，河海大学结合自身的办学特色，在开展水文化研究的基础上，组织编写了《水文化教育丛书》。丛书的根本要旨，在于通过水文化知识的普及和教育，提高人们对水的战略地位的认识，以带动全社会水意识的觉醒和提升；教育人们树立科学发展的水利观，以增强对水的忧患意识；培养人们爱水、节水、护水、亲水的情怀，以养成良好的水文化行为习惯；帮助人们提升水利工程建设中的文化自觉性，以确立人水和谐的科学发展理念。

《丛书》分为10个分册，分别为：《100条江河湖泊》，主编：吴胜兴，副主编：顾圣平、贺军；《100座城市与水》，主编：郑大俊，副主编：刘兴平、钱恂熊；《100项水工程》，主编：吴胜兴，副主编：沈长松、孙学智；《100例水灾害》，主编：颜素珍，副主编：唐德善、汤鸣鸿；《100位水利名人》，主编：王如高，副主编：刘春田、陈家洋；《100首水歌曲》，主编：蔡正林，副主编：刘兴平、沈俐；《100种水用具》，主编：王培君，副主编：戴玉珍、贺杨夏子；《100处水景观》，主编：蒲晓东，副主编：张彦德、潘云涛；《100篇咏水诗文》，主编：尉天骄，副主编：林一顺；《100个水传说》，主编：张建民，副主编：莫小曼、郑如鑫。

《丛书》封面上"水文化"三个字由水利部原副部长敬正书同志题写。在《丛书》的编写过程中，为了充分反映不同时期有关水文化的经典之作，各分册的编写人员通过多种途径，参阅和收集了大量的文献资料。这些文献资料对于进一步传播、发展和弘扬水文化，进一步提升人们的水文化素养具有重要价值。在此，我们对这些文献资料的奉献者表示衷心的感谢。

与此同时，我们还要说明的是，《丛书》各分册选列的是主要参考文献，未能详尽所有文献，在选引中也会有遗漏不全之处，亦敬请各位作者谅解。